EM AGOSTO
NOS VEMOS

Obras do autor

O amor nos tempos do cólera
A aventura de Miguel Littín clandestino no Chile
Cem anos de solidão
Cheiro de goiaba
Crônica de uma morte anunciada
Do amor e outros demônios
Doze contos peregrinos
Em agosto nos vemos
Os funerais da Mamãe Grande
O general em seu labirinto
A incrível e triste história da cândida Erêndira
e sua avó desalmada
Memória de minhas putas tristes
Ninguém escreve ao coronel
Notícia de um sequestro
Olhos de cão azul
O outono do patriarca
Relato de um náufrago
A revoada (O enterro do diabo)
O veneno da madrugada (A má hora)
Viver para contar

Obra jornalística

Vol. 1 – Textos caribenhos (1948-1952)
Vol. 2 – Textos andinos (1954-1955)
Vol. 3 – Da Europa e da América (1955-1960)
Vol. 4 – Reportagens políticas (1974-1995)
Vol. 5 – Crônicas (1961-1984)
O escândalo do século

Obra infantojuvenil

A luz é como a água
María dos Prazeres
A sesta da terça-feira
Um senhor muito velho com umas asas enormes
O verão feliz da senhorita Forbes
Maria dos Prazeres e outros contos (com Carme Solé Vendrell)

Teatro

Diatribe de amor contra um homem sentado

Com Mario Vargas Llosa

Duas solidões: um diálogo sobre o romance na América Latina

GABRIEL GARCÍA MÁRQUEZ

EM AGOSTO NOS VEMOS

TRADUÇÃO DE
ERIC NEPOMUCENO

EDIÇÃO DE
CRISTÓBAL PERA

10ª edição

EDITORA RECORD
RIO DE JANEIRO • SÃO PAULO
2025

CIP-Brasil. Catalogação na fonte
Sindicato Nacional dos Editores de Livros, RJ.

G21a
10. ed.
García Márquez, Gabriel, 1927-2014
  Em agosto nos vemos / Gabriel García Márquez ; tradução Eric Nepomuceno. - 10. ed. - Rio de Janeiro : Record, 2025.

"Edição de Cristóbal Pera."
Tradução de: En agosto nos vemos
ISBN 978-85-01-92001-0

1. Literatura colombiana. I. Nepomuceno, Eric. II. Pera, Cristóbal. III. Título.

23-87351
CDD: 868.99363
CDU: 821.134.2(862)

Gabriela Faray Ferreira Lopes - Bibliotecária - CRB-7/6643

Título original:
En agosto nos vemos

Copyright © Herdeiros de GABRIEL GARCÍA MÁRQUEZ, 2024
Copyright da nota da edição original © Cristóbal Pera, 2024
Copyright do prefácio © Rodrigo e Gonzalo Gárcia Barcha, 2024

Reprodução fotográfica do manuscrito original: cortesia do Harry Ransom Center, Universidade do Texas, Austin

Tradução da parte intitulada "O original": Fabiana Camargo

Design de capa adaptado do layout de Nora Grosse para a edição original da Penguin Random House Grupo Editorial

Ilustração da capa: © David de las Heras

Texto revisado segundo o Acordo Ortográfico da Língua Portuguesa de 1990.

Todos os direitos reservados. Proibida a reprodução, no todo ou em parte, através de quaisquer meios. Os direitos morais do autor foram assegurados.

Direitos exclusivos de publicação em língua portuguesa somente para o Brasil adquiridos pela
EDITORA RECORD LTDA.
Rua Argentina, 171 – Rio de Janeiro, RJ – 20921-380 – Tel.: (21) 2585-2000, que se reserva a propriedade literária desta tradução.

Impresso no Brasil

ISBN 978-85-01-92001-0

Seja um leitor preferencial Record.
Cadastre-se no site www.record.com.br
e receba informações sobre nossos
lançamentos e nossas promoções.

Atendimento e venda direta ao leitor:
sac@record.com.br

Prefácio

A perda de memória que nosso pai sofreu em seus últimos anos foi, como é fácil de imaginar, duríssima para todos nós. Mas particularmente a maneira como essa perda diminuiu suas possibilidades de continuar escrevendo com o rigor de costume foi, para ele, uma fonte de frustração desesperadora. Ele nos disse isto com a clareza e a eloquência de um grande escritor: "A memória é, ao mesmo tempo, minha matéria-prima e minha ferramenta. Sem ela, não existe nada."

Este *Em agosto nos vemos* foi fruto de um derradeiro esforço para continuar criando contra ventos e marés. O processo foi uma batalha entre o perfeccionismo do artista e o declínio de suas faculdades mentais. As longas idas e vindas das muitas versões do texto são descritas em detalhes, de maneira muito melhor do que nós poderíamos fazer, por nosso amigo Cristóbal Pera em sua nota para esta edição. Àquela altura, só sabíamos do veredito de Gabo: "Este livro não presta. Tem que ser destruído."

Não o destruímos, mas o deixamos de lado, com a esperança de que o tempo decidisse o que fazer com ele. E lendo o livro uma vez mais, quase dez anos depois de sua morte, descobrimos que o texto tinha muitíssimos méritos desfrutáveis. De fato, não está tão lapidado como seus maiores livros. Tem alguns tropeços e pequenas contradições, mas nada que nos impeça de apreciar o que há de mais relevante na obra de Gabo: a capacidade de invenção, a poesia da linguagem, a narração cativante, o entendimento acerca do ser humano e o carinho por suas vivências e desventuras, sobretudo no amor. O amor, provavelmente o tema principal de toda a sua obra.

Ao julgar o livro muito melhor do que lembrávamos, nos ocorreu outra possibilidade: de que o declínio de suas faculdades mentais, que não permitiu a Gabo terminar o livro, também o impediu de perceber como ele estava bem-feito. Num ato de traição, decidimos colocar o prazer de seus leitores acima de todas as outras considerações. Se os leitores celebrarem o livro, é possível que Gabo nos perdoe. É nisso que confiamos.

RODRIGO E GONZALO GARCÍA BARCHA

EM AGOSTO
NOS VEMOS

1

Voltou à ilha na sexta-feira, 16 de agosto, na barca das três da tarde. Usava calça jeans, camisa xadrez no estilo escocês, sapatos simples de salto baixo sem meias, carregava uma sombrinha, sua bolsa de mão e, como única bagagem, a maleta de praia. Na fila de táxis do cais foi direto para um modelo velho, carcomido pelo salitre. O chofer a recebeu com um cumprimento amigável e a conduziu aos solavancos pelo povoado miserável, com casas de pau a pique, telhados de folha de palmeira amarga e ruas de areia ardente diante de um mar em chamas. Precisou fazer malabarismos para desviar dos porcos impávidos e das crianças nuas que debochavam dele com passes de toureiro. No fim do povoado enveredou por uma avenida de palmeiras-reais onde ficavam as praias e os hotéis turísticos, entre o mar aberto e uma lagoa interior povoada de garças-azuis. Finalmente parou no hotel mais velho e decadente.

O recepcionista esperava por ela com a ficha de hóspede pronta para ser assinada e as chaves do único quarto do segundo andar que dava para a lagoa. Subiu a escada com quatro passadas largas e entrou no quarto pobre com cheiro de inseticida recém--aplicado e ocupado quase por inteiro pela enorme cama de casal. Tirou da maleta um nécessaire de couro de cabrito e um livro mal encadernado que pôs na mesinha de cabeceira, marcado numa página com um abridor de cartas de marfim. Tirou uma camisola de seda rosada, que pôs debaixo do travesseiro. Também tirou uma echarpe de seda com estampa de pássaros equatoriais, uma blusa branca de manga curta, um par de tênis bem gasto e levou tudo para o banheiro.

Antes de se arrumar, tirou a aliança e o relógio masculino que usava no braço direito, colocou tudo na prateleira do toucador e lavou rapidamente o rosto para limpar a poeira da viagem e espantar o sono da sesta. Quando acabou de secar o rosto, sopesou no espelho os seios redondos e altivos apesar dos dois partos. Esticou as bochechas com os cantos das mãos para se lembrar de como era quando jovem. Ignorou as rugas do pescoço, que já não tinham remédio, e verificou os dentes perfeitos e recém-escovados depois do almoço na barca. Esfregou desodorante nas axilas bem depiladas e vestiu a blusa limpa de algodão que ostentava as iniciais AMB bordadas no bolso. Escovou os cabelos índios, compridos até os ombros, que prendeu num rabo de cavalo com a echarpe de pássaros. Para terminar, hidratou os lábios com um batom de vaselina simples, umedeceu os dedos indicadores na língua para pentear as sobrancelhas unidas, aplicou um toque de Madeiras do Oriente atrás de cada orelha e finalmente se encarou no espelho com seu rosto de mãe outonal. A pele sem vestígio de cosmético tinha a cor e a textura do melaço, e os olhos de topázio eram formosos com suas escuras pálpebras portuguesas. Ela se massacrou, se julgou sem piedade, e se viu quase tão bem quanto se sentia. Apenas quando pôs a aliança e o relógio se deu conta de seu atraso: faltavam seis para as quatro, mas se concedeu um minuto de nostalgia para contemplar as garças que planavam imóveis no torpor ardente da lagoa.

O táxi esperava por ela debaixo das bananeiras do portal. Arrancou sem esperar ordens pela avenida de palmeiras até uma área sem hotéis onde ficava o mercado popular ao ar livre e parou numa banca de flores. Uma mulher negra e grande, que cochilava numa cadeira de praia, despertou, sobressaltada pela buzina, reconheceu a outra no banco de trás do automóvel e, entre risos e conversa fiada, deu a ela o ramo de gladíolos que havia encomendado. Alguns quarteirões mais adiante o táxi virou numa trilha quase intransitável que subia por uma encosta de pedras pontiagudas. Através do ar cristalizado pelo calor era possível ver o mar aberto do Caribe, os iates alinhados no cais de turismo, a barca das quatro que regressava para a cidade. No topo da colina ficava o cemitério mais pobre. Empurrou sem esforço o portão enferrujado e entrou com o ramo de flores pelo corredor de túmulos sufocados pelo matagal.

No centro havia uma paineira de galhos grandes que ajudou a mulher a encontrar o túmulo da mãe. As pedras pontiagudas machucavam, atravessando as solas de borracha aquecidas, e o sol rascante se infiltrava pelo tecido da sombrinha. Uma iguana saiu do mato, se deteve imóvel diante da mulher, olhou-a por um instante e fugiu em disparada.

Calçou uma luva de jardineiro que levava na bolsa e teve de limpar três lápides até reconhecer a de mármore amarelado com o nome da mãe e a data de sua morte, oito anos antes.

Havia repetido essa viagem todo 16 de agosto, na mesma hora, com o mesmo táxi e a mesma florista, debaixo do sol de fogo no mesmo cemitério miserável, para pôr um ramo de gladíolos frescos no túmulo da mãe. A partir daquele momento não tinha nada a fazer até as nove da manhã do dia seguinte, quando saía a primeira barca de regresso.

Seu nome era Ana Magdalena Bach, tinha completado quarenta e seis anos de vida e vinte e sete de um matrimônio bem estabelecido com um homem que amava e que a amava, com quem se casou sem terminar o curso de Artes e Letras, ainda virgem e sem ter namorado antes. A mãe tinha sido uma célebre professora de escola primária montessoriana que, apesar de seus méritos, não quis ser outra coisa até o último suspiro. Ana Magdalena herdou dela o esplendor dos olhos dourados, a virtude das poucas palavras e a inteligência para controlar seu temperamento. Era uma família de músicos. O pai tinha sido professor de piano e diretor do Conservatório Estadual durante quarenta anos. O marido, também filho de músicos e maestro, substituiu o professor. Tinham um filho exemplar que era o primeiro violoncelo da Orquestra Sinfônica Nacional aos vinte e dois anos e havia sido aplaudido por Mstislav Leopóldovich Rostropóvich numa sessão privada. Já sua filha de dezoito anos tinha uma facilidade quase genial para aprender de ouvido qualquer instrumento, mas só gostava disso como pretexto para não dormir em casa. Estava de namorico com um excelente trompetista de jazz, mas queria ingressar na ordem das Carmelitas Descalças, contrariando os pais.

A vontade de ser enterrada na ilha tinha sido anunciada pela mãe três dias antes de morrer. Ana Magdalena quis viajar para o enterro, mas ninguém achou prudente, pois ela mesma não acreditou que conseguiria sobreviver ao pesar e à dor. Foi levada até a ilha pelo pai no primeiro aniversário, para pôr a lápide de mármore que estavam devendo ao túmulo. Ela se assustou na travessia feita numa canoa a motor de popa que demorou quase quatro horas, sem um instante de mar calmo. Admirou as praias de farinha dourada na beirinha da selva virgem, o alvoroço dos pássaros e o voo fantasmagórico das garças no remanso da lagoa interior. E se deprimiu com a miséria da aldeia, onde precisaram dormir na intempérie, em redes penduradas entre dois coqueiros, apesar de ali terem nascido um poeta e um senador grandiloquente que quase foi presidente da República. Ficou impressionada com a quantidade de pescadores negros de braços mutilados pela explosão prematura de tubos de dinamite. No entanto, acima de tudo, compreendeu a vontade da mãe quando viu o esplendor do mundo do topo do cemitério. Era o único lugar solitário onde não conseguia se sentir só. Foi então que Ana Magdalena Bach decidiu deixá-la ali onde estava e levar todos os anos um ramo de gladíolos ao seu túmulo.

Agosto era o mês dos calores e dos aguaceiros loucos, mas ela entendeu aquilo como mais uma das penitências que deveria pagar sem falta e sempre sozinha. Só fraquejou diante da insistência dos filhos em conhecer o túmulo da avó, e a natureza lhe cobrou isso com uma travessia pavorosa. A lancha zarpou apesar da chuva para que não anoitecesse no caminho, e as crianças chegaram aterrorizadas e vencidas pelo enjoo. Daquela vez, por sorte, puderam dormir no primeiro hotel turístico que o senador construiu em seu nome e com dinheiro do Estado.

Ana Magdalena Bach tinha visto crescerem ano após ano os penhascos de vidro que aumentavam enquanto a aldeia empobrecia. As lanchas motorizadas foram aposentadas pela barca. A travessia continuou sendo de quatro horas, mas com ar-condicionado, orquestra e moçoilas de prazer. Só ela manteve a rotina como a visitante mais pontual da aldeia.

Voltou para o hotel, estendeu-se na cama sem outra roupa que não uma calcinha de renda e retomou a leitura do livro na página marcada com o abridor de cartas debaixo das pás do ventilador de teto que mal espantavam o calor. O livro era *Drácula*, de Bram Stoker. Tinha lido metade na barca com o fervor de uma obra-prima. Adormeceu com o livro no peito e despertou duas horas depois no breu, empapada de suor e morta de fome.

O bar do hotel ficava aberto até as dez da noite, e ela havia descido para comer alguma coisa antes de dormir. Notou que havia mais clientes do que de costume àquela hora, e o garçom não parecia ser o mesmo de antes. Pediu, para não errar, o mesmo sanduíche de presunto e queijo dos outros anos, com pão torrado e café com leite. Enquanto esperava, percebeu que estava rodeada pelos mesmos turistas mais velhos da época em que esse hotel era o único. Uma menina mulata cantava boleros tristes e o próprio Agustín Romero, já idoso e cego, a acompanhava com amor no mesmo piano decrépito da festa de inauguração.

Ela comeu depressa, tentando superar a humilhação de fazer uma refeição sozinha, mas sentiu-se bem com a música, que era suave e tranquilizante, e a menina sabia cantar. Quando terminou, só restavam três casais em mesas dispersas, e, bem na frente dela, um homem distinto que não tinha visto entrar. Usava linho branco, os cabelos metálicos. Tinha na mesa uma garrafa de brandy, uma taça pela metade e parecia estar sozinho no mundo.

O piano iniciou um *Clair de lune*, de Debussy, num aventureiro arranjo para bolero, e a menina cantou com amor. Comovida, Ana Magdalena Bach pediu um gim com gelo e soda, o único álcool que aguentava bem. O mundo mudou depois do primeiro gole. Ela se sentiu atrevida, alegre, capaz de tudo e embelezada pela mistura sagrada da música com o gim. Achou que o homem da mesa da frente não a tinha visto, mas o surpreendeu observando-a quando o fitou pela segunda vez. Ele enrubesceu. Ela sustentou o olhar enquanto ele verificava o relógio de bolso. Meio sem jeito, ele guardou o relógio, serviu-se de outra dose, de olho na porta e acanhado porque já sabia que ela o observava sem misericórdia. Então a encarou. Ela sorriu, e ele a saudou com uma leve inclinação de cabeça.

— Posso oferecer uma taça? — perguntou.

— Seria um prazer — respondeu ela.

Ele passou para a mesa dela e lhe serviu uma dose com muita elegância.

— Saúde — disse.

Ela entrou no clima, e os dois beberam de um gole só. Ele engasgou, tossiu sentindo espasmos pelo corpo inteiro e ficou banhado em lágrimas. Mantiveram um longo silêncio até que ele se secou com um lenço com perfume de lavanda e recuperou a voz. Ela se atreveu a perguntar se ele não esperava alguém.

— Não — disse ele. — Era um assunto importante, mas já não é mais.

Ela perguntou com uma expressão de incredulidade calculada:

— Negócios?

Ele respondeu:

— Já não dou mais para outras coisas.

E disse isso no tom típico que os homens usam quando querem que não se acredite neles. Ela sorriu e arrematou como uma verdadeira plebeia, em desacordo com seu modo de ser, mas na medida certa:

— Será no seu quarto.

E assim continuou rodeando o homem com seu tato fino, até enredá-lo numa conversa banal. Brincou de adivinhar sua idade e se enganou por um ano a mais: quarenta e seis. Brincou de adivinhar seu país de origem pelo sotaque e deu sorte na terceira vez: gringo hispânico. Tentou adivinhar sua profissão e, na segunda tentativa, ele se apressou em dizer que era engenheiro civil, e ela suspeitou de que fosse uma artimanha para impedir que tropeçasse na verdade.

Falaram da audácia de transformar em bolero uma obra de Debussy, mas ele nem tinha reparado nisso. Sem dúvida se deu conta de que ela entendia de música e que ele não havia passado do *Danúbio azul*. Ela contou que estava lendo *Drácula*, de Stoker. Ele o tinha lido no colégio e continuava impressionado com o episódio do conde que desembarcou em Londres transformado em cachorro. Ela concordou e não entendia por que Francis Ford Coppola tinha mudado isso em seu filme memorável. No segundo gole ela sentiu que o brandy tinha se encontrado com o gim em alguma parte de seu coração e precisou se concentrar para não perder a cabeça. A música acabou às onze e a orquestra estava só esperando que eles fossem embora para encerrar.

Àquela altura, ela o conhecia como se tivesse vivido com ele desde sempre. Sabia que era asseado, impecável no vestir, com mãos inexpressivas, agravadas pelo esmalte natural das unhas, e um coração bom e covarde. Percebeu que ele estava intimidado pelos seus grandes olhos amarelos e não os desgrudou dele. Então se sentiu forte para dar o passo que não dera nem em sonho em toda a sua vida, e fez sem rodeios:

— Vamos subir?

Ele havia perdido o poder.

— Não estou no hotel — respondeu.

Mas ela nem esperou que ele terminasse de falar.

— Eu estou — disse e se levantou, balançando levemente a cabeça para se recompor. — Segundo andar, número 203, à direita da escada. Não precisa bater, é só empurrar.

Subiu para o quarto com o terror delicioso que não sentia desde sua noite de núpcias. Ligou o ventilador, mas não a luz, despiu-se na escuridão sem se deter e deixou um rastro de roupa no chão, da porta até o banheiro. Quando acendeu a lâmpada do espelho, precisou fechar os olhos e inspirar fundo para controlar a respiração e o tremor das mãos. Lavou o sexo depressa, além das axilas e dos dedos dos pés macerados pela borracha dos sapatos, pois, apesar dos suores da tarde, não tinha pensado em tomar banho até o dia seguinte. Sem tempo para escovar os dentes, pôs na língua uma pontinha de pasta de dente e voltou para o quarto iluminado apenas pela luz diagonal do espelho do banheiro.

Não esperou que o convidado empurrasse a porta, ela mesma a abriu quando sentiu que ele chegava. Ele se assustou, mas ela não lhe deu mais tempo na escuridão. Tirou-lhe o paletó com puxões enérgicos, a gravata, a camisa e foi jogando tudo no chão por cima do ombro. Conforme fazia isso, o ar ia se impregnando de um tênue odor de lavanda. No começo o homem tentou ajudá-la, mas ela não deu tempo. Quando ele estava despido até a cintura, ela o sentou na cama e se ajoelhou para tirar seus sapatos e as meias. Ele abriu ao mesmo tempo a fivela do cinto e a braguilha, de maneira que ela só precisou puxar as calças para que saíssem. Nenhum dos dois se preocupou com as chaves, nem com as notas de dinheiro e as moedas nem com o canivete que rolaram pelo chão.

Por fim, ajudou-o a tirar a cueca ao longo das pernas e percebeu que ele não era tão bem-dotado quanto seu esposo, que era o único adulto que conhecia nu, mas estava sereno e hasteado.

Ela não deu a ele chance de ter nenhuma iniciativa. Encavalou-se sobre ele até a alma e devorou-o só para ela e sem pensar nele, até que os dois ficaram perplexos e exaustos em uma sopa de suor. Permaneceu em cima, lutando contra as primeiras dúvidas da sua consciência debaixo do ruído sufocante do ventilador, até que percebeu que ele não respirava bem, aberto em cruz sob o peso do seu corpo, e se deitou de barriga para cima ao seu lado. Ele permaneceu imóvel até que teve o primeiro fôlego para perguntar:

— Por que eu?

— Foi uma inspiração — respondeu ela.

— Vindo de uma mulher como você — disse ele —, é uma honra.

— Ah — brincou ela. — Não foi um prazer?

Ele não respondeu, e ambos jazeram atentos aos ruídos de suas almas. O quarto era belo na penumbra verde da lagoa. Ouviu-se um bater de asas. Ele perguntou:

— O que é isso?

Ela falou dos hábitos das garças à noite. Depois de uma longa hora de sussurros banais, começou a explorá-lo com os dedos, muito devagar, do peito até o baixo-ventre. Continuou com o tato de seus pés ao longo das pernas e comprovou que ele inteiro era coberto por uma penugem espessa e suave feito musgo em abril. Depois tornou a buscar com os dedos o animal em repouso, que encontrou desanimado, porém vivo. Ele tornou tudo mais fácil mudando de posição. Ela o reconheceu com a ponta dos dedos: o tamanho, a forma, o pequeno freio, a glande sedosa, arrematada por uma dobrinha que parecia costurada com agulha de enfardadeira. Contou os pontos tateando, e ele se apressou a esclarecer o que ela havia imaginado:

— Fui circuncidado já adulto. — E acrescentou com um suspiro: — Foi um prazer muito estranho.

— Até que enfim — disse ela sem clemência — algo que não foi uma honra.

Ela se apressou em atacá-lo com beijos suaves na orelha, no pescoço, ele a procurou com os lábios e os dois se beijaram na boca pela primeira vez. Ela tornou a procurá-lo e o encontrou armado. Quis assaltá-lo de novo, mas ele se revelou um amante sofisticado que a levou sem pressa até o ponto de ebulição. Ela se surpreendeu com o fato de aquelas mãos tão primárias serem capazes de semelhante ternura e tratou de resistir flertando. Mas ele se impôs com firmeza, manejou-a a seu bel-prazer e a fez feliz.

Eram duas da manhã quando um trovão sacudiu os alicerces do hotel, e o vento forçou a tranca da janela. Ela se apressou em fechá-la, e no meio-dia instantâneo de outro relâmpago viu a lagoa encrespada, e através da chuva viu a lua imensa no horizonte e as garças-azuis batendo asas sem fôlego na borrasca. Ele dormia.

De volta à cama enroscou os pés na roupa dos dois. Deixou a sua no chão para recolher depois e pendurou o paletó dele na cadeira, pendurou em cima a camisa e a gravata, dobrou as calças com cuidado para não amassar e colocou em cima as chaves, o canivete e o dinheiro. O ar do quarto tinha refrescado com a tormenta, e por isso vestiu a camisola rosada de uma seda tão pura que fez sua pele arrepiar. O homem, dormindo de lado e com as pernas encolhidas, pareceu a ela um órfão enorme, o que a impediu de refrear uma rajada de compaixão. Deitou às suas costas, abraçou-o pela cintura, e o brilho de seu corpo ensopado acabou fazendo com que ele despertasse. Ele soltou um resmungo rouco e se afastou dormindo. Ela cochilou um pouco e despertou na ausência do ventilador elétrico quando a luz acabou e o quarto ficou numa penumbra ardente. Ele roncava com um assovio contínuo. Por simples travessura, ela começou a tocar nele com a ponta dos dedos. Ele parou de roncar num sobressalto e começou a reviver. Ela o deixou de lado por um instante e tirou a camisola num puxão só. Mas quando voltou a ele foram inúteis as suas artes, pois percebeu que ele fingia estar dormindo para não satisfazê-la uma terceira vez. Por isso tornou a vestir a camisola e dormiu de costas para ele.

Seu horário habitual a despertou às seis. Ficou um instante divagando com os olhos fechados, sem se atrever a admitir o latejar de dor nas têmporas, nem a fria náusea, nem o desassossego por algo desconhecido que sem dúvida esperava por ela na vida real. Pelo ruído do ventilador, percebeu que a alcova já era visível na alvorada azul da lagoa. De repente, como o raio da morte, foi fulminada pela consciência brutal de que havia fornicado e dormido pela primeira vez na vida com um homem que não era o seu. Assustada, voltou-se para olhá-lo por cima do ombro, mas ele não estava. Tampouco estava no banheiro. Acendeu as luzes e viu que a roupa dele não estava ali. Já a dela, que tinha sido jogada no chão, agora estava dobrada e posta quase que com amor na cadeira. Só então se deu conta de que não sabia nada dele, nem mesmo o nome, e a única coisa que restava de sua noite louca era um triste cheiro de lavanda no ar purificado pela borrasca. Só quando apanhou o livro na mesinha de cabeceira para guardar na maleta foi que percebeu que ele havia deixado entre suas páginas de terror uma nota de vinte dólares.

2

Nunca mais voltaria a ser a mesma. Havia percebido isso na barca de regresso, entre as hordas de turistas que sempre lhe tinham sido indiferentes e que de repente e sem motivos claros se tornaram abomináveis. Ela sempre foi uma boa leitora. Faltou pouco para terminar o curso de Artes e Letras, leu com rigor o que tinha de ler e continuou lendo aquilo de que mais gostava: romances de amor de autores conhecidos, e, quanto mais longos e infelizes, melhor. Durante vários anos continuou lendo romances curtos de qualquer gênero, como *Lazarilho de Tormes, O velho e o mar, O estrangeiro*. Detestava os livros da moda e sabia que não tinha tempo suficiente para se atualizar. Nos últimos anos havia se metido a fundo nos romances sobrenaturais. Mas naquele dia se estendeu ao sol no tombadilho e não conseguiu ler nem uma letra, nem pensar em outra coisa que não fosse sua noite anterior.

Os edifícios do porto, tão familiares e esbeltos desde seus anos de colegial, pareceram-lhe estranhos e carcomidos pelo salitre. Pegou no cais um ônibus tão decrépito quanto os de seus anos escolares, abarrotado de pobres e com o rádio num volume de carnaval, mas o daquele meio-dia sufocante pareceu a ela mais incômodo que nunca, e pela primeira vez ficou incomodada com o mau humor e o fedor de estábulo dos passageiros. As bancas tumultuadas do mercado público, que desde menina tinha como tão suas e onde na semana anterior estivera fazendo compras com a filha, sem o menor sobressalto, a estremeceram como as ruas de Calcutá, onde grupos de lixeiros golpeavam com bastões os corpos estendidos nas calçadas ao amanhecer para saber se estavam dormindo ou se estavam mortos. No largo da Independência viu a estátua equestre do Libertador inaugurada trinta anos antes, e só naquele dia percebeu que o cavalo estava empinado, e a espada, esgrimida para o céu.

Ao entrar em casa perguntou assustada a Filomena que desastre tinha acontecido em sua ausência, pois os pássaros não cantavam nas gaiolas e, no terraço interior, haviam desaparecido os vasos com flores amazônicas, as samambaias penduradas, as guirlandas de trepadeiras azuis. Filomena, a criada eterna, recordou a ela que tinha tirado tudo e levado para o pátio, para que pegassem chuva, tal como ela mesma havia ordenado antes de viajar. No entanto, ela precisou de vários dias para tomar consciência de que as mudanças não eram no mundo, e sim nela própria, que sempre andou pela vida sem enxergá-la e só naquele ano, ao regressar da ilha, começou a vê-la com olhos de aprendiz.

Embora não estivesse ciente das razões de sua mudança, tinha algo a ver com a nota de vinte dólares que levava na página cento e dezesseis de seu livro. Ela tinha padecido com um sentimento insuportável de humilhação e sem um instante de sossego. Havia chorado de raiva pela frustração de não saber quem era o homem que ela teria de matar por ter tornado vil a lembrança de uma aventura feliz. Durante a travessia do mar se sentiu em paz consigo mesma por um ato sem amor que qualificou para sua consciência como um assunto privado entre ela e seu esposo, porém não conseguiu superar o incômodo que a nota lhe causava, algo que sentia arder como uma brasa viva, não tanto na sua carteira, mas no seu coração. Não sabia se emoldurava a nota como um troféu ou se a destruía para conjurar a indignidade. A única coisa que não lhe parecia decente era gastá-la.

O dia se estropiou por completo quando Filomena disse a ela que o esposo ainda não havia se levantado às duas da tarde. Não recordava se isso tinha acontecido alguma vez, a não ser nos poucos sábados em que viravam a noite juntos e passavam domingos inteiros na cama. Encontrou-o prostrado por uma dor de cabeça. Havia deixado as cortinas abertas e a luz ofuscante das duas da tarde reverberava no quarto. Ela fechou as cortinas e se preparou para animar o marido com um cumprimento carinhoso, mas um pensamento sombrio a impediu. Quase sem pensar, fez a ele a pergunta que mais temia:

— Posso saber onde você esteve ontem à noite?

Ele olhou assombrado para ela. Essa pergunta, a mais comum até nos matrimônios felizes, nunca tinha sido ouvida em sua casa. Então, mais por diversão do que por inquietação, ele perguntou:

— Onde ou com quem?

Ela levantou a guarda:

— O que você quer dizer com isso?

Mas ele driblou o desafio e contou que havia passado uma esplêndida noite de jazz com Micaela, a filha deles. Em seguida mudou de assunto:

— Aliás — disse —, você nem me contou como foi a viagem.

Ela pensou, alarmada, que sua pergunta imprópria poderia ter revolvido nele as cinzas de alguma velha suspeita. A simples ideia a aterrorizou.

— Foi a mesma coisa de sempre — afirmou.

Havia acabado a luz no hotel e de manhã não tinha água no chuveiro, mentiu, por isso vinha sem ter tomado banho e com o suor de dois dias. Mas o mar estava manso e fresco e tinha conseguido cochilar um pouco na viagem.

Ele saltou da cama de cueca, como dormia sempre, e foi até o banheiro. Era gigantesco, esportivo, e de uma beleza fácil. Ela o seguiu, e os dois continuaram conversando lá dentro, ele no boxe do chuveiro enevoado, e ela sentada na tampa da privada, como faziam quando recém-casados. Retomou o tema da filha indomável, que se chamava Micaela, como a avó enterrada na ilha, e estava empenhada em se tornar monja, enquanto continuava de namorico com um virtuoso do jazz pouco mais velho que ela e com quem ficava de farra até o amanhecer. A mãe não entendia aquilo, mas naquela tarde entendeu menos ainda que a filha se exibisse com o pai num antro de músicos drogados. O marido soltou uma piadinha:

— Não vai me dizer que está com ciúmes da nossa própria filha.

Para ela teria sido um alívio dizer que sim, mas percebeu a tempo que não era um bom dia para azedar uma conversa de amor. Ele cantarolou debaixo do chuveiro os primeiros compassos do concerto de piano de Grieg enquanto se ensaboava e, de repente, olhou para ela.

— Você não vem?

Ela teve uma só razão para titubear, e, para alguém tão escrupulosa como ela, era uma razão de peso.

— Eu não tomo banho desde ontem — disse. — Estou cheirando a cachorro.

— Mais uma razão — acrescentou ele. — A água está deliciosa.

Ela então tirou a camisa escocesa, a calça jeans e a calcinha rendada com que havia regressado da ilha, pôs tudo no cesto de roupa suja e entrou no boxe. Ele cedeu a ela seu lugar no chuveiro e a ensaboou como sempre, dos pés à cabeça, sem interromper a conversa.

Nada de novo, pois souberam conservar certos costumes de amantes, entre eles o de tomar banho no chuveiro juntos. No início faziam isso porque começavam a trabalhar na mesma hora, e, em vez da eterna disputa clássica de quem tomava banho primeiro, aprenderam a fazer isso juntos. Um ensaboava o outro com tanto amor que muitas vezes terminavam revirando-se no chão do banheiro, em cima de um tapete de seda comprado por ela com o propósito de não estropiar suas costas com os amores fulminantes.

Nos primeiros três anos foram pontuais todos os dias, de noite na cama ou de manhã no banheiro, exceto nas tréguas sagradas das regras e dos partos. Os dois viram a tempo as ameaças da rotina, e sem combinar decidiram somar ao amor um grão de aventura. Numa época costumavam ir a motéis, tanto os mais refinados como os mais rastaqueras, até a noite em que o hotel foi assaltado à mão armada e os dois foram deixados nus em pelo. Eram inspirações tão imprevisíveis que ela se acostumou a levar os preservativos na bolsa para evitar surpresas. Até que descobriram por acaso uma marca que trazia impresso seu anúncio publicitário: *Next Time Buy Lutecian*. Foi assim que inauguraram uma longa época em que cada amor feito levava o prêmio de uma frase espirituosa, desde piadas obscenas até máximas de Sêneca.

Com os filhos e as mudanças de horário, perderam o ritmo, mas retomavam sempre que podiam, e toda vez era um amor alegre em que até a loucura era admissível. Mesmo nos tempos menos propícios inventavam um jeito de se renovar, até que deram a volta completa e caíram de novo na rotina.

Ele se chamava Doménico Amarís, um homem de cinquenta e quatro anos, bem-educado, bonitão e fino e diretor do Conservatório Estadual fazia mais de vinte anos. Para além de sua excelente qualificação como maestro, era um sedutor de salão e um caricaturista musical capaz de salvar uma festa com um bolero de Agustín Lara no estilo Chopin ou com um *danzón* cubano à Rachmaninoff. Tinha sido campeão universitário de tudo: canto, natação, oratória, tênis de mesa. Ninguém contava uma piada melhor que ele, nem conhecia como ele danças raras como a contradança, o charleston e o tango apache. Era um prestidigitador atrevido, que num jantar de gala no Conservatório Estadual fez sair da sopeira um frango vivo batendo as asas quando o governador a destampou para se servir. Não se sabia que ele jogava xadrez até a noite em que foi desafiado por Paul Badura-Skoda depois de um concerto glorioso e empataram onze partidas até as nove da manhã seguinte. Sua carreira de piadista ferrenho esteve a ponto de culminar em catástrofe, quando convenceu as gêmeas García a trocar de noivos, e ambos quase se casaram com a irmã errada. Foi sua última gracinha, porque nenhum dos noivos nem ninguém das duas famílias o perdoou jamais. No entanto, Ana Magdalena tinha se adaptado a ele, se tornado como ele, e os dois se conheceram tão a fundo que acabaram parecendo um só.

Ele se sentia em seu grande momento e com ideias próprias. Sempre havia pensado que a obra de um grande músico era inseparável de seu destino e acreditava ter comprovado isso com o estudo sistemático da música e da vida dos grandes mestres. Considerava que a obra mais inspirada de Brahms era seu concerto para violino, e não entendia como não havia composto, além dele, o concerto magistral de violoncelo que finalmente Dvorák compôs. Havia abandonado a direção da orquestra e deixado de escutar música gravada; preferia a música lida, a não ser para apreciar uma versão muito rara, pois se contentava com as oficinas experimentais que promovia em seu Conservatório Estadual.

Com esses critérios próprios, talvez indemonstráveis, estava escrevendo um manual para um modo novo e mais humano de escutar música e um coração diferente para interpretá-la. Tinha já bem avançados os capítulos de três grandes exemplos: Mozart e Schubert, gênios excepcionais, porém de vidas breves e infelizes, e Chausson, em seu melhor momento vítima de um acidente absurdo de bicicleta.

A única preocupação familiar, na verdade, era o comportamento da filha Micaela, uma rebelde encantadora. Continuava empenhada em convencer os pais de que ser monja nesses tempos não era a mesma coisa de antes e estava certa de que no alvorecer do terceiro milênio acabariam até com o voto de castidade. O mais curioso é que a mãe se opunha à sua vocação por motivos diferentes dos do pai. Para ele era um assunto sem importância, pois já sobravam músicos na família. A própria Ana Magdalena quis aprender a tocar trompete, mas não conseguiu. A família inteira sabia cantar. Mas, no caso da filha, o problema era que tinha adquirido o belo hábito de não dormir à noite. A situação virou crise quando ela desapareceu um fim de semana inteiro com seu trompetista mulato. Não recorreram à polícia porque nos meios da boemia juvenil não havia amigo que não soubesse onde estavam. E então: estavam na ilha. A mãe sofreu um terror tardio. Micaela tratou de apaziguá-la com a notícia insólita de que havia levado uma rosa para o túmulo da avó. Nunca souberam se era verdade, e a mãe não tinha a menor vontade de averiguar. Só lhe comunicou que ela deveria tê-la consultado por uma razão que a filha desconhecia e disse:

— Mamãe odeia rosas.

Doménico Amarís compreendia as razões da filha, mas não desautorizava a esposa por lealdade, e, como sempre nesses casos, ficava no limbo. Ainda bem que Micaela concordou por vários meses em não virar a noite, a não ser nos fins de semana. Comia em família com frequência, falava por telefone durante três horas por dia e se trancava no quarto depois do jantar vendo filmes cujos gritos e explosões transformavam a casa numa longa noite de terror. Para maior desconcerto dos pais, nas conversas à mesa dava mostras de estar ativamente informada e de exercer um critério maduro sobre a cultura atual. E mais: por mera casualidade, a mãe ficou sabendo que os telefonemas inesgotáveis não eram para o namorado do jazz, e sim para uma catequista oficial das Carmelitas Descalças, e celebrou isso como um mal menor.

Assim estavam as coisas na noite em que Ana Magdalena soltou no jantar o temor de que a filha regressasse grávida de seus fins de semana, e Micaela quis tranquilizá-la com a boa notícia de que um médico amigo tinha implantado nela aos quinze anos um dispositivo infalível. A mãe, que nunca tinha se atrevido a superar a audácia dos preservativos ilustrados por frases, gritou para ela, fora de si e direto ao coração:

— Puta!

O silêncio que ficou depois do grito permaneceu vitrificado por vários dias no ar da casa. Ana Magdalena chorou sem consolo trancada no quarto, mais por vergonha de seu ímpeto do que por rancor da filha. O marido se comportou como se não existisse enquanto a esposa chorava, pois sabia que os motivos de suas lágrimas estavam só dentro dela, embora ignorasse quais.

A inquietude dele assustou a mulher e consolidou o que parecia ser uma nova atitude dos homens com relação a ela. Sempre fora assediada, mas era tão indiferente a eles que os esquecia sem pena. Em compensação, naquele ano, ao voltar da ilha, teve a impressão de que trazia na testa um estigma que os homens viam e que não podia passar despercebido para alguém que a amava tanto e a quem ela amava mais do que ninguém. Os dois haviam sido fumantes ferozes de dois maços diários durante muitos anos e tinham abandonado o vício juntos por um pacto de amor. Mas ela havia reincidido na volta da ilha, e ele ficou sabendo por causa da mudança de lugar dos cinzeiros, do cheiro do tabaco usado, apesar da fumigação sigilosa dos purificadores de ar, e das guimbas esquecidas por descuido.

Toda essa ordem mudou desde que ela voltou da ilha. Demorou vários meses sem avançar na *Antologia da literatura fantástica*, de Borges, Bioy Casares e Ocampo. Dormia mal, ia ao banheiro de madrugada para fumar e dava descarga para se livrar das guimbas que ele sabia que encontraria boiando quando despertasse às cinco. Não só se levantava para fumar, mas ao contrário: fumava porque não tinha paz para dormir. Às vezes acendia a luz para ler por escassos minutos, apagava de novo, dava voltas e se revirava na cama com um cuidado milimétrico para não despertar o marido. Até que ele se atreveu a perguntar:

— O que é que há com você?

Ela respondeu secamente:

— Nada. Por quê?

— Perdão — disse ele —, mas é impossível, para mim, não perceber como você voltou diferente. — E arrematou com seu tato delicado: — Fiz alguma coisa errada?

— Não sei, porque nem eu mesma tinha percebido — respondeu ela, com o temperamento que tanto assombrava o esposo. — Mas talvez você tenha razão. Não será a impertinência de Micaela?

— É anterior a isso — disse ele. E se atreveu a dar o passo final: — Você chegou da ilha assim.

Com as primeiras ondas de calor de julho, começou dentro de seu peito um bater de asas de borboletas que não daria trégua até que voltasse para a ilha. Foi um mês longo, e alongado ainda mais pela incerteza. Sempre tinha sido uma viagem tão simples como um domingo de praia, mas a daquele ano foi presidida pelo pânico de se encontrar com o amante fugaz dos vinte dólares que já havia repudiado em seu coração. Em vez da calça jeans e da maleta de praia dos anos passados, vestiu um conjunto de linho cru e sandálias douradas e fez a mala com roupa formal, sandálias de salto alto e um enfeite de falsas esmeraldas. Sentiu-se outra: nova e capaz.

3

Ao desembarcar na ilha, viu seu táxi mais decadente
do que nunca e se decidiu por outro, novo e refrige-
rado. Como não conhecia hotéis além do seu, orde-
nou ao motorista que a levasse até o novo Carlton,
uma montanha de vidros dourados que tinha visto
crescer entre florestas de ferro nas três viagens anteriores. Não foi possível encontrar um quarto à sua
altura no auge de agosto, mas deram a ela um bom
desconto para as suítes geladas do décimo oitavo andar, que dominavam o horizonte circular do Caribe
e a lagoa imensa até o contorno da serra. O preço era
um quarto de seu salário mensal de professora, mas

o esplendor, o silêncio e o clima primaveril do vestíbulo e a solicitude dos empregados infundiram nela o sentimento de segurança que devia a si mesma.

Das três e meia da tarde, quando chegou, até as oito da noite, quando desceu para jantar, não teve um instante de sossego. Os gladíolos da loja de flores do hotel pareceram esplêndidos, mas dez vezes mais caros, então ela se conformou com os da sua florista das vezes anteriores. Foi ela a primeira a preveni-la acerca do novo cemitério de turistas, que se anunciava como um jardim de flores naturais com músicas e pássaros à beira da lagoa, mas onde enterravam os corpos em posição vertical para ganhar espaço.

Chegou ao cemitério da ilha depois das cinco da tarde, e o sol não estava tão forte quanto em outros anos. Alguns túmulos já tinham sido esvaziados, e nas laterais do caminho havia escombros de ataúdes e ossos perdidos entre montes de cal viva. Na pressa tinha esquecido as luvas de jardinagem, e precisou limpar o túmulo com mãos desprotegidas enquanto contava para a mãe as notícias do ano anterior. A única notícia boa foi a do filho, que em dezembro estrearia como solista da Orquestra Filarmônica com as *Variações sobre um tema rococó*, de Tchaikovsky. Fez milagres para salvar a reputação da filha sem falar de sua vocação religiosa, o que não teria sido uma boa referência para a mãe. Por último, com o coração na mão, fez a confidência de sua noite de amor livre no ano anterior, que tinha reservado só para ela, e só para aquele momento. Contou a ela que tinha sido com um homem sem nome nem alma. Estava tão convencida de que ela mandaria seu sinal de aprovação que o esperou naquele instante. Olhou a paineira florescida, cujos repetidos ramos iam com o vento; viu o céu, o mar, o avião de Miami com mais de uma hora de atraso no céu incessante.

Quando voltou para o hotel, sentiu vergonha do estado da sua roupa e do cabelo sujo de poeira. Não tinha ido ao cabeleireiro desde o ano anterior, pois seu cabelo era bom e domado e tinha se adaptado à sua personalidade. Um estilista pedante e seboso, que merecia o nome de Narciso mais do que o de Gastón, a recebeu com todo tipo de sugestão tentadora sobre o que poderia fazer com seu cabelo e terminou por fazer um penteado de grande dama que ela mesma fazia sem tanta retórica para suas noites mais comuns. Uma manicure maternal cuidou das suas mãos maltratadas, por ter limpado o túmulo no cemitério, com bálsamos de toucador, e ela se sentiu tão bem que prometeu voltar no ano seguinte na mesma data para tentar uma mudança de estilo. Gastón explicou a ela que a conta ia para a fatura do hotel, menos os dez por cento da gorjeta. Quanto seria?

— Vinte dólares — disse Gastón.

Ela se crispou por uma coincidência inconcebível que só podia ser o sinal que esperava de sua mãe para cauterizar as feridas da sua aventura. Tirou a nota que havia queimado durante um ano no fundo da sua carteira como a chama eterna do amante desconhecido e entregou, encantada, ao cabeleireiro.

— Bom proveito — disse feliz. — São dólares de carne e osso.

Outros mistérios daquele hotel extravagante não foram tão fáceis para Ana Magdalena Bach. Quando acendeu um cigarro, um alarme de som e luz disparou, e uma voz autoritária disse em três idiomas que ela estava num quarto para não fumantes. Precisou pedir ajuda para descobrir que com o mesmo cartão de abrir a porta se acendiam as luzes e se ligavam a televisão, o ar-condicionado e a música ambiente. Ensinaram-lhe digitar no teclado eletrônico da banheira redonda para regular as funções erótica e clínica da jacuzzi. Louca de curiosidade, tirou a roupa ensopada de suor pelo sol do cemitério, pôs a touca de banho para proteger o penteado e se entregou ao redemoinho de espuma. Feliz, telefonou para casa e gritou a verdade para o marido:

— Você não tem ideia da falta que você me faz.

Foram tão vivas as declarações que ele sentiu ao telefone a excitação dela na banheira.

— Caralho — disse ele —, você me deve essa.

Quando desceu para jantar, eram oito. Pensou em pedir alguma coisa pelo telefone para comer, para não precisar se vestir, mas o preço do serviço de quarto fez com que decidisse comer como pobre na cafeteria. O vestido de seda preta, tubular e longo demais para a moda, caía bem com seu penteado. Sentiu-se meio desprotegida por causa do decote, mas o colar, os brincos e os anéis de esmeraldas falsas elevaram seu moral e aumentaram o fulgor dos seus olhos.

Terminou rápido o café com leite e o sanduíche de presunto e queijo na cafeteria. Angustiada pelos gritos dos turistas e pela música estridente, decidiu voltar para o quarto e ler *O dia das trífides*, de John Wyndham, que estava na fila havia uns três meses. O remanso do vestíbulo a reanimou, e, ao passar diante do cabaré do hotel, um casal profissional que dançava a *Valsa do Imperador* com uma técnica perfeita atraiu sua atenção. Permaneceu absorta à porta, mesmo depois de o casal haver terminado a exibição e a pista de dança ter sido invadida pela clientela comum. Uma voz doce e varonil, muito perto de suas costas, tirou-a da letargia:

— Vamos dançar?

Estava tão perto que ela percebeu o tênue cheiro do medo dele sob a loção de barbear. Então o olhou por cima do ombro e perdeu o fôlego.

— Perdão — disse atordoada —, mas não estou vestida para dançar.

A réplica dele foi imediata:

— Quem faz o vestido é você.

A frase a impressionou. Num gesto inconsciente apalpou o corpo com as mãos, o decote profundo, os seios vivos, os braços nus, para comprovar que seu corpo estava mesmo onde ela o sentia. Então olhou de novo por cima do ombro, não mais para conhecer o dono da voz, mas para se apropriar dele com os olhos mais belos que ele viu na vida.

— Você é muito gentil — disse com encanto. — Já não há homens que digam essas coisas.

Então ele se pôs a seu lado e reiterou em silêncio o convite para dançar com a mão lânguida. Ana Magdalena Bach, sozinha e livre em sua ilha, agarrou aquela mão como se estivesse à beira de um precipício, com todas as forças de seu corpo. Dançaram três valsas à moda antiga. Ela supôs desde os primeiros passos, pelo cinismo da sua maestria, que ele fosse um profissional contratado para animar as noites dos turistas e se deixou levar em círculos de voo, mas o manteve firme, à distância de seu braço. Ele disse, olhando-a nos olhos:

— Dança como uma artista.

Ela sabia que era verdade, mas também sabia que ele teria dito aquilo a qualquer mulher que quisesse levar para a cama. Na segunda valsa, ele tentou apertá-la junto ao corpo, mas ela o manteve em seu devido lugar. Ele entendeu o recado e se esmerou em sua arte, levando-a pela cintura com a ponta dos dedos, como uma flor. Ela correspondeu de igual para igual. Na metade da terceira valsa era como se o conhecesse desde sempre.

Nunca teria imaginado um homem tão belo numa embalagem tão antiquada. Tinha a pele lívida, os olhos ardentes debaixo de sobrancelhas frondosas, o cabelo de um azeviche absoluto alisado com brilhantina e perfeitamente dividido ao meio. O smoking tropical de seda crua apertado em seus quadris estreitos completava sua aparência de almofadinha. Tudo nele era tão falso quanto suas maneiras, mas os olhos febris pareciam ávidos de compaixão.

Ao fim da balada de valsas ele a conduziu para uma mesa afastada, sem aviso nem pedido de licença. Não era necessário: ela já antecipara tudo, e se alegrou por ele pedir champanhe. O salão na penumbra era bonito, e cada mesa tinha o próprio ambiente de intimidade. Descansaram durante as músicas no ritmo de salsa, observando os casais desenfreados, e ela sabia que ele só tinha uma coisa a dizer. Foi rápido.

Tomaram meia garrafa de champanhe. A música terminou às onze, e foi anunciada a presença especial de Elena Burke, a rainha do bolero, apenas por uma noite em sua turnê triunfal pelo Caribe. Apareceu assim, iluminada pelas luzes e num estrondo.

Ana Magdalena calculou que ele não devia ter mais que trinta anos, porque mal se virava no bolero. Ela o conduziu com tato, e ele pegou o passo. Ela o manteve a distância, desta vez não por decoro, mas para não dar a ele o gosto de sentir em suas veias o sangue febril pelo champanhe. Mas ele a forçou, primeiro com suavidade, depois com toda a força seu braço na cintura. Ela então sentiu na coxa o que ele queria que sentisse para demarcar seu território. Sentiu a fraqueza dos joelhos e se amaldiçoou pelo latejar do sangue nas veias e pelo ardor insuportável da respiração. No entanto, conseguiu se recompor e recusou a segunda garrafa de champanhe. Ele deve ter percebido, pois a convidou para um passeio pela praia. Ela dissimulou seu desgosto com uma frivolidade compassiva:

— Sabe qual é a minha idade?

— Não consigo imaginar nenhuma idade — disse ele. — Só a que você quiser ter.

Não tinha terminado de falar quando ela, cansada de tanta mentira, propôs ao próprio corpo o dilema determinante: agora ou nunca.

— Sinto muito — disse, pondo-se em pé. — Preciso ir embora.

Ele deu um salto, confuso.

— O que houve?

— Tenho que ir — disse ela. — Champanhe não é o meu forte.

Ele propôs outros programas inocentes, talvez sem saber que quando uma mulher vai embora não há ser humano nem divino que a detenha. Finalmente se rendeu.

— Posso acompanhá-la?

— Não precisa se incomodar — disse ela. — E obrigada de verdade, foi uma noite inesquecível.

No elevador, já estava arrependida. Sentia um ódio feroz de si mesma. O prazer de ter feito o que devia, porém, compensava. Entrou no quarto, tirou os sapatos, jogou-se na cama de barriga para cima e acendeu um cigarro. Os alarmes de incêndio dispararam. Quase ao mesmo tempo bateram à porta, e ela amaldiçoou o hotel onde a lei perseguia os hóspedes até na intimidade da privada. Mas quem bateu à porta não foi a lei, foi ele. Parecia uma figura de museu de cera na penumbra do corredor. Ela constatou isso com a mão na maçaneta da porta, sem um pingo de indulgência, e afinal lhe abriu caminho. Ele entrou como se estivesse na própria casa.

— Ofereça-me alguma coisa — disse.

— Sirva-se você mesmo — disse ela sem a menor tensão. — Não tenho a menor ideia de como funciona esta nave espacial.

Ele, por sua vez, sabia tudo. Modulou as luzes, pôs a música ambiente e serviu duas taças de champanhe do frigobar com a maestria de um diretor de teatro. Ela se entregou ao jogo, não como si mesma, e sim como protagonista de seu próprio papel. Estavam no brinde quando o telefone tocou. Ela atendeu. Um segurança do hotel lhe advertiu de modo muito cortês que ninguém poderia permanecer numa suíte depois da meia-noite sem se registrar na recepção.

— Não precisa explicar, por favor — interrompeu-o, envergonhada. — O senhor me desculpe.

Desligou com a cara tomada pelo rubor. Ele, como se tivesse ouvido a advertência, justificou-a com uma razão simples:

— São mórmons.

E sem mais delongas convidou-a para contemplar o eclipse total da lua na praia dali a uma hora e quinze minutos. Era uma novidade para ela. Tinha uma paixão infantil por eclipses, mas a noite inteira havia se debatido entre o decoro e a tentação, e não encontrou um argumento válido para se decidir.

— Não temos escapatória — disse ele. — É o nosso destino.

A invocação sobrenatural dispensou-a de escrúpulos. E assim foram ver o eclipse no suntuoso furgão dele, numa pequena baía escondida por um bosque de coqueiros sem sinal de turistas. No horizonte via-se o resplendor da cidade ao longe, e o céu estava diáfano e cheio de estrelas, com uma lua solitária e triste. Ele estacionou ao abrigo das palmeiras, tirou os sapatos, afrouxou o cinto e inclinou o assento para relaxar. Só então ela descobriu que o furgão não tinha nada mais do que os dois bancos dianteiros, que se transformavam em camas ao apertar um botão. O restante era um bar mínimo, um aparelho de som tocando o sax de Fausto Papetti e um banheiro minúsculo com um bidê portátil atrás de uma cortina carmesim. Ela entendeu tudo.

— Não vai ter eclipse — disse.

Ele lhe assegurou que tinha sido anunciado.

— Não vai ter — disse ela. — Os eclipses só podem acontecer em lua cheia, e estamos em quarto crescente.

Ele se manteve imperturbável.

— Então será do sol — disse. — Temos mais tempo.

Não houve mais formalidades. Os dois já sabiam para onde iam, e ela sabia que era a única coisa digna que podia esperar dele desde que dançaram o primeiro bolero. Ficou assombrada com a destreza de mágico com que a despiu peça por peça, com a ponta dos dedos e quase sem tocá-la, como quem descasca uma cebola. Na primeira investida sentiu que ia morrer de dor, com uma comoção atroz de bezerra esquartejada. Ficou sem ar e empapada de um suor gelado, mas apelou aos seus instintos primários para não se sentir menor, nem permitir-se sentir menos que ele, e juntos se entregaram ao prazer inimaginável da força bruta subjugada pela ternura. Nunca se preocupou em saber quem ele era, nem quis, até uns três anos depois daquela noite brutal, quando reconheceu na televisão seu retrato falado de vampiro triste procurado pela polícia do Caribe como vigarista e gigolô de viúvas desassossegadas e provável assassino de duas delas.

4

Ana Magdalena Bach encontrou seu homem do ano seguinte na barca que a levava para a ilha. Havia ameaça de chuva, o mar parecia de outubro, e ficar ao ar livre era incômodo. Uma banda de música caribenha começou a tocar assim que a barca zarpou, e um grupo de turistas alemães dançou sem parar até a ilha. Ela buscou refúgio no restaurante deserto às onze da manhã para se concentrar na leitura de *As crônicas marcianas*, de Ray Bradbury. Tinha quase conseguido quando foi interrompida por um grito:

— Este é meu dia de sorte!

O doutor Aquiles Coronado, um advogado de grande prestígio, amigo dela desde a escola e padrinho de batismo da filha, se aproximava pelo saguão com os braços abertos e seu andar pesado de grande primata. Levantou-a pela cintura e a sufocou de beijos. Sua simpatia um tanto teatral despertava mais desconfiança do que o normal, mas ela sabia que seu alvoroço era sincero. Correspondeu com a mesma alegria e se sentou ao lado dela.

— Que barbaridade — disse ele —, só nos vemos em casamentos e enterros.

Na verdade, não se encontravam havia três anos, e isso ficou tão evidente que ela se horrorizou com a ideia de que ele a visse com o mesmo espanto com que ela o via. Permaneciam nele seus ímpetos de gladiador, mas tinha a pele enrugada, uma papada renascentista e uns fiapos de cabelos amarelados arrepiados pela brisa do mar. Desde que se conheceram na escola secundária ele já era um especialista em amores fáceis cujas audácias não passavam de um cinema furtivo às seis da tarde. No entanto, tinha contraído um matrimônio afortunado que deu a ele mais nome e dinheiro que toda uma vida de código civil.

Seu único fracasso foi com Ana Magdalena Bach, que fechou o caminho para ele desde a primeira tentativa aos quinze anos. Quando ambos já estavam casados, e com filhos, ele reiniciou a ofensiva crua e um tanto atrevida para levá-la para a cama sem argumentos sentimentais. Ela o submeteu ao método implacável de não o levar a sério, mas ele endureceu sua tática até que encheu a casa dela de flores e lhe mandou duas cartas ardentes que conseguiram comovê-la. No entanto, ela se manteve firme para não estropiar a bela amizade de uma vida inteira.

Quando tornaram a se encontrar na barca, ele se mostrou impecável, e ninguém era impecável como ele quando se propunha a sê-lo. Despediu-se dele no cais, pois mal tinha tempo de fazer o que devia para regressar na barca das quatro. Ela respirou fundo. Tinha sonhado a cada momento com aquele novo 16 de agosto, e a lição não admitia dúvidas: era absurdo esperar um ano inteiro para apostar o resto da vida ao acaso de uma noite. Estabeleceu que a primeira aventura fora posta ao seu alcance por uma casualidade afortunada, mas que ela a tinha escolhido, enquanto na segunda a escolhida tinha sido ela.

A primeira havia sido arruinada pelo sabor ruim da nota de vinte dólares, mas o homem valia a noite. A segunda, por sua vez, tinha sido a deflagração de um prazer sobrenatural que deixou em seu ventre uma trilha de fogo seguida por três dias de compressas e banhos de assento.

Com relação aos hotéis, o de sempre tinha sido o melhor, mais administrável e mais parecido com ela, mas com o risco de já ser conhecida. O do segundo ano era de uma modernidade opressiva que terminava por ser de um moralismo medieval. No fim das contas, o erro de se vestir para a noite num hotel tão pretensioso só podia levar ao risco de que o amante casual não lhe deixasse uma nota de vinte, e sim uma de cem. Então nessa terceira vez decidiu ser ela mesma, vestir-se como ela mesma e reservar a liberdade de escolha para si, e não para o acaso. Lembrou-se do primeiro homem com certa indulgência pela sua falta de tato. Sentiu que as feridas começavam a cicatrizar e desejou com suas entranhas encontrá-lo e levá-lo para a cama, desta vez sem susto nem pressa, e com a confiança típica de dois amantes antigos.

Com a ajuda de um taxista diferente escolheu um hotel de cabanas rústicas num bosque de amendoeiras, com um grande pátio de dança e mesas de jantar ao redor e um anúncio a altos brados da apresentação especial de Célia Cruz, a grande cantora cubana. A cabana que deram a ela pareceu reservada e fresca, a cama confortável e larga até para três, e sua localização entre as árvores não podia ser melhor. O agitar de asas de borboletas dentro do peito tornou-se insuportável só de pensar em ter o homem da sua vida até o amanhecer.

Continuava chuviscando no cemitério. Chamou sua atenção que tivessem limpado o mato dos túmulos, aplanado os caminhos e retirado restos de ataúdes e ossos sem donos. Contou à mãe em minúcias do bom ano do marido no Conservatório, apesar das penúrias financeiras do município, dos progressos do filho na orquestra e do fracasso de seus esforços para impedir que a filha ingressasse no convento.

De volta ao hotel, viu um lindo *huipil* de Oaxaca numa loja para turistas e achou que era o mais apropriado para a noite. Sentia-se dona de si. Leu sem surpresas o terceiro conto de *As crônicas marcianas*, telefonou para o esposo e se distraíram com brincadeiras de amor. Tomou banho, viu-se no espelho tão bela e livre quanto a rainha asteca que inspirou o *huipil*, a não ser pelos sapatos de verniz. Pensou que o apropriado para seu traje de noite seriam os pés descalços, mas não se atreveu. E assim foi para a pista de dança com aquela frustração passageira, mas com a certeza de se antecipar ao acaso.

As amendoeiras pareciam de Natal com guirlandas de luzes coloridas, e o pátio estava alegre com gente jovem de todas as cores, louras com seus negros de ocasião e velhos matrimônios resignados. Ela se sentou a uma mesa afastada, com as antenas alertas, quando alguém atrás dela cobriu seus olhos com as mãos. Animada, ela tocou essas mãos e reconheceu no tato um relógio maciço no pulso esquerdo e uma aliança no anular, mas não arriscou nenhum nome.

— Eu me rendo — disse.

Era Aquiles Coronado. Tinha precisado adiar o regresso até o dia seguinte e não achava justo que cada um jantasse em seu canto se os dois estavam sozinhos na ilha. Não sabia em que hotel estava, mas o marido dela lhe informou pelo telefone, encantado que os dois fossem jantar juntos.

— Não tive um minuto de sossego desde que nos despedimos, mas cá estou — concluiu feliz. — A noite é nossa.

Ela sentiu que o mundo afundava debaixo de seus pés, mas manteve a serenidade.

— Na barca, você estava impecável — disse a ele com uma graça calculada. — Dá para notar que a idade fez de você uma pessoa mais ajuizada.

— Pois é — concordou ele —, mas não pense que me alegro com isso.

Ela não quis champanhe. Disse que estava com dor de cabeça pelo almoço na barca e que sentia subir à garganta uma náusea gelada. Ele pediu um uísque duplo com gelo. Ela se conformou com uma aspirina, que tomou como veneno.

A apresentação começou com um trio especializado em canções de Los Panchos. Ninguém prestou atenção, e Aquiles Coronado menos ainda. Ele se desafogou de uma paixão que havia crescido dentro dele desde a adolescência, pois só era feliz porque pensava em Ana Magdalena Bach quando fazia amor com a esposa no escuro. Ela começou a ganhar tempo para que ele bebesse. Sabia que não era bom de copo, que um uísque atrás do outro o arrastariam sem dúvida para o precipício e deixou que ele despencasse sozinho. Ele sabia que ela jamais faria a caridade de satisfazê-lo, mas suplicava por um minuto na cama, só um minuto, para beijá-la vestida. Sem saber na realidade o que dizer, ela falou:

— Entre compadres é pecado mortal.

— Estou falando sério — disse ele, ferido pelo deboche, e deu um tapa na mesa. — Caralho!

Ela se atreveu a olhar nos olhos dele e comprovou o que já tinha sentido em sua voz: ele chorava oceanos. Então se levantou da mesa sem uma palavra, voltou para o quarto e se jogou na cama para chorar de raiva.

Quando recuperou o humor, tinha passado da meia-noite. Sua cabeça doía, e perder a noite doía ainda mais. Arrumou-se um pouco e desceu disposta a recuperá-la. Tomou um gim com soda num tamborete no bar do jardim abandonado pelos turistas madrugadores. Chegou uma figura andrógina de músculos artificiais com correntes e pulseiras de ouro, cabelos dourados e a pele avermelhada com unguentos para sol. Bebeu no balcão uma bebida fosforescente. Ela se perguntou se seria capaz de se insinuar para o barman, que era jovem e atraente, e respondeu a si mesma que não. Chegou a se perguntar se seria capaz de sair à rua e parar automóveis até encontrar alguém que alegrasse seu agosto, e a resposta foi idêntica: não. Perder a noite era perder um ano, mas eram três da madrugada e não havia remédio: estava perdido.

As relações com seu marido tinham experimentado variações notáveis naqueles três anos, e ela as interpretava de acordo com o estado de ânimo com que regressava da ilha. O homem dos vinte dólares, cuja lembrança a amargurava, tinha aberto seus olhos para a realidade de seu matrimônio, sustentado até então por uma felicidade convencional que desviava das divergências para não tropeçar nelas, como a sujeira que é escondida debaixo do tapete. Nunca antes haviam sido tão felizes. Os dois se entendiam sem falar, morriam de rir das próprias travessuras e faziam amor de um jeito tão atarantado que pareciam adolescentes.

O destino da filha se resolveu facilmente e sem pressa. Despediram-se dela numa noitada íntima, que teve como convidado o músico de jazz com sua nova namorada. Doménico e ele improvisaram uma revisão muito pessoal dos contrastes para piano e saxofone de Béla Bartók e todos se tornaram velhos amigos à primeira vista.

A filha foi entregue às Carmelitas Descalças na missa comum do convento. Ana Magdalena e o esposo se vestiram para um funeral, mas Micaela chegou com uma hora de atraso e sem ter dormido, com o *huipil* da mãe, seus eternos tênis, a maleta com seus artigos de toucador e um álbum de Van Morrison que tinha ganhado dos pais na última hora. Um padre meio adolescente, de pele biliosa e um braço engessado, dedicou a ela uma fala festiva com uma derradeira oportunidade para que se arrependesse caso não estivesse certa de sua vocação. Ana Magdalena gostaria de ter dedicado à filha o tributo de uma lágrima de adeus, mas não conseguiu num ambiente tão convencional.

A vida havia mudado depois da terceira viagem. Ao voltar para casa, Ana Magdalena havia tido a impressão de que o marido começava a se fazer perguntas sobre suas noites na ilha. Pela primeira vez quis saber quem ela tinha visto. Poderia ter contado a ele o incidente completo com o doutor Aquiles Coronado, pois o marido sabia daqueles assédios senis, mas se deteve a tempo, para não dar a ele outro motivo para continuar pensando nas noites da ilha.

O amor tinha passado a ser diferente. De provocador e travesso na cama, Doménico se tornou inapetente e perturbado. A esposa não atribuiu isso à idade, mas a alguma suspeita que o marido pudesse ter de suas noites na ilha. Porém uma reflexão mais razoável inverteu a situação, e então foi ela que começou a pensar que o marido sofria um desgaste secreto fora de casa.

Ana Magdalena havia se adaptado a ele, se tornado como ele, e ele a conhecia tão a fundo que acabaram sendo um só. Antes de se casarem, ela fora prevenida sobre a maneira de ser do noivo. Principalmente no que dizia respeito a seu poder de sedução e seu charme implacável, em especial com suas alunas de música, mas ela não deu ouvidos a rumores nem se deixou ganhar pela dúvida. No entanto, quando firmaram o compromisso, ela não conseguiu resistir à tentação de lhe perguntar, e ele negou tudo. Disse, brincando, que era virgem, mas falou com tanta convicção que ela se casou com a ilusão de que era verdade. Nada a perturbou até pouco antes do nascimento da filha, quando uma amiga de colégio que ela não via fazia anos perguntou num banheiro público como ela havia conseguido que o marido rompesse com a namorada de adolescência. Ela a cortou bruscamente, e não só a apagou de sua vida como aumentou a distância que sempre mantivera até de suas melhores amigas.

Suas razões para confiar no marido naquela época lhe pareciam muito fortes. Apesar de faltar menos de dois meses para o parto, não tinham diminuído as frequências nem os ardores do amor. De maneira que era uma impossibilidade biológica que restasse nele energia para outra cama depois de acalmar o desejo dela alvoroçado pela gestação. Mas, como o rumor persistia, ela pôs a batata quente nas mãos dele com uma fórmula mortal:

— Qualquer coisa que eu souber de você, a culpa será sua.

Não houve mais incidentes até depois da terceira viagem, quando aplacou os ardores da própria consciência com a suspeita de que ele a enganava. Os indícios eram fortes. Doménico demorava na rua até muito depois do horário oficial do Conservatório, ao voltar para casa ia direto se perfumar no banheiro antes de cumprimentar alguém, para encobrir com suas loções conhecidas qualquer odor alheio, e dava explicações detalhadas demais de onde estava, o que tinha feito e com quem, sem que ninguém tivesse perguntado. Certa noite, depois de uma apresentação de gala em que o esposo havia tido um êxito fora do comum, ela decidiu confrontá-lo. Ele estava na cama lendo a partitura de *Così fan tutte*. Ela acabou de ler *O ministério do medo*, que tinha começado na ilha; apagou a luz de cabeceira ao seu lado e se virou para a parede sem se despedir. Ele, por diversão, disse a ela:

— Boa noite, senhora.

Ela se deu conta de que havia falhado no ritual e se apressou na correção:

— Ai, perdão, meu amor — disse, e deu o beijo rotineiro de todas as noites. Ele solfejava aos sussurros para não a acordar.

De repente, ainda de costas, ela disse:

— Pelo menos uma vez na vida, Doménico, me diz a verdade.

Ele sabia que seu nome na boca da esposa era sinal de tempestade, e apressou-a com sua serenidade habitual:

— O que foi?

Ela não foi menos serena:

— Quantas vezes você foi infiel?

— Infiel, nunca — disse ele. — Mas se o que você quer saber é se eu fui para a cama com alguém, há anos me advertiu que não queria saber.

E mais: quando se casaram, tinha dito a ele que não se importaria se ele fosse para a cama com outra, com a condição de que não fosse sempre com a mesma, ou que fosse só uma vez. Mas na hora da verdade voltou atrás.

— Essas coisas a gente diz por aí — falou ela —, mas não para serem tomadas tão ao pé da letra.

— Se eu disser que não, tenho certeza de que você não vai acreditar — falou ele —, e, se disser que sim, você não vai suportar. O que fazemos?

Ela sabia que um homem não daria tamanha volta para dizer que não, e seguiu em frente:

— E quem foi a afortunada?

Ele disse com uma fluidez natural:

— Uma de Nova York.

Ela começou a levantar a voz:

— Mas quem era?

— Uma chinesa — respondeu ele.

Ela sentiu que o coração se fechou feito um punho e se arrependeu de ter provocado aquela dor inútil, mas ainda assim se empenhou em saber de tudo. Para ele, porém, o pior tinha passado, e contou tudo com um desinteresse calculado.

Tinha sido uns doze anos antes, no hotel de Nova York onde ele ficou com sua orquestra num fim de semana durante o Festival de Wagner. A chinesa era primeiro violino da orquestra de Pequim, instalada no mesmo andar. Quando ele acabou de contar, Ana Magdalena estava em carne viva. Desejava matar os dois, não com um tiro de misericórdia, mas cortando os dois pouco a pouco em fatias transparentes com uma fatiadora de presunto. Porém deixou a ferida respirar com outra pergunta que a intrigava:

— Você pagou?

Ele respondeu que não, porque não era uma prostituta. Ela se manteve firme:

— E, se fosse, quanto você teria pagado?

Ele levou a pergunta a sério e não soube responder.

— Não banque o bobo — disse ela, rouca de raiva. — Quer que eu acredite que um homem não sabe quanto custa uma puta de hotel?

Ele foi sincero.

— Pois olha só, não sei — disse —, e muito menos se for chinesa.

Então ela o foi cercando com uma angústia insuportável.

— Pois bem: se tivesse sido amável e boa, e você quisesse deixar uma lembrança, quanto teria colocado dentro de um livro?

— Livro? — questionou ele, surpreso. — As putas não leem.

— Responde alguma coisa, caralho — disse ela, se esforçando para não perder as estribeiras. — Quanto você teria deixado para ela se tivesse achado que era uma puta e não quisesse acordá-la antes de ir embora?

— Não tenho a menor ideia.

— Vinte dólares?

Ele se sentiu perdido na obscuridade da pergunta.

— Não sei — respondeu. — Pode ser que sim, pelo custo de vida daquele tempo talvez fosse o bastante.

Ela fechou os olhos para controlar a respiração e para não dar a ele o gostinho de perceber sua raiva, e perguntou de surpresa:

— Vocês fizeram na horizontal?

Ele não conseguiu segurar o riso, e ela se juntou a ele. Mas parou de modo brusco e precisou fechar os olhos para reprimir as lágrimas.

— Estou rindo — disse com a mão no peito —, mas não desejo a você jamais o que estou sentindo aqui dentro. É a morte.

Ele tratou de esconjurar o mau momento com um solfejo inventado. Ela fez um esforço para dormir, mas não conseguiu. Acabou desabafando em tom alto para que ele ouvisse, mesmo se estivesse dormindo.

— Que caralho! — disse. — Os homens são todos iguais: uma merda.

Ele precisou engolir a raiva. Teria dado tudo para aniquilá-la com uma réplica mortal, mas a vida lhe ensinara que, quando uma mulher dá sua palavra final, todas as outras sobram. E por isso não tornaram a tocar no assunto naquele momento nem nunca mais.

5

A noite do 16 de agosto do ano seguinte já estava prevista pelo seu destino. Encontrou a ilha desordenada por uma convenção mundial de turismo, sem um quarto disponível nos hotéis e as praias ocupadas por barracas e trailers. Depois de procurar durante duas horas um lugar qualquer para dormir, recorreu a seu esquecido Hotel do Senador, renovado, limpo e mais caro, mas sem nenhum dos empregados de seus primeiros tempos.

Não houve a quem apelar para encontrar um quarto. E mais: um cliente de aspecto respeitável protestava indignado porque sua reserva confirmada duas vezes não aparecia na lista. Tinha a parcimônia de um magnífico reitor, uma voz pausada e mansa e um talento impressionante para os impropérios galantes. O único funcionário na recepção tentava conseguir por telefone um quarto em outro hotel. Ansioso por compartilhar sua raiva, o cliente se dirigiu a Ana Magdalena:

— Esta ilha é um caos — disse, e mostrou-lhe o comprovante de sua reserva confirmada.

Ela não conseguiu ler sem os óculos, mas entendeu sua indignação. Finalmente o funcionário os interrompeu com a triunfante notícia de que havia um quarto disponível num hotel duas estrelas, mas limpo e bem localizado. Ana Magdalena se apressou:

— Será que não tem outro para mim?

O funcionário consultou por telefone e não havia. Então o cliente pegou sua maleta com a mão esquerda e com a outra tomou o braço de Ana Magdalena com uma familiaridade inusitada que a ela pareceu um tanto abusiva.

— Venha comigo — disse —, chegando lá a gente vê.

Foram num automóvel novo dirigido por ele à beirinha da lagoa. Ele disse que gostava do Hotel do Senador.

— Eu também gosto, por causa da lagoa — disse ela —, e agora vejo que foi reformado.

— Faz dois anos — disse ele.

Ela percebeu que ele era um visitante assíduo da ilha e contou que havia anos que ela também visitava o local, para pôr um ramo de gladíolos no túmulo de sua mãe.

— Gladíolos? — perguntou ele surpreso, pois não tinha notícia de que eles existissem na ilha. — Achei que só existiam na Holanda.

— Lá tem tulipas — esclareceu ela.

Explicou a ele que os gladíolos não eram muito comuns, mas que alguém os havia levado para a ilha e eles tinham conquistado uma fama justa no litoral e em outros povoados do interior. Para ela eram tão importantes, concluiu, que no dia em que já não existissem daria um jeito para que alguém os cultivasse.

Começava a chuviscar, mas não parecia que ia durar muito. Ele achava o contrário, porque o tempo de agosto sempre lhe pareceu errático. Examinou-a de cima a baixo, com sua roupa simples da barca, e achou que ela ia precisar de algo mais para o cemitério. Mas ela o tranquilizou: estava acostumada.

Para chegar ao hotel tiveram que dar a volta na lagoa até onde começava a aldeia dos pobres. Era deplorável e sem dúvida um lugar de passagem que não exigia identificação. Quando deram a chave a ele, o hóspede esclareceu que eram dois quartos.

— Perdão — disse o recepcionista, desconcertado. — Não estão juntos?

— É minha esposa — disse o cliente com sua graça natural —, mas temos o costume higiênico de dormir separados.

Ela entrou no jogo:

— Quanto mais longe, melhor.

O recepcionista admitiu que a cama do quarto não era muito grande, mas podia colocar outra, adicional. O cliente chegou a se atordoar, mas ela foi adiante.

— Se o senhor ouvisse como ele ronca, não iria me propor isso — disse ao recepcionista.

Este se desculpou, examinou as chaves penduradas no quadro enquanto eles riam da própria travessura, e por fim disse que podia conseguir outro quarto, mas em um andar diferente e sem vista para a lagoa: segundo e quarto andares. Subiram no elevador sem bagageiro, pois ambos só tinham bagagens de mão, e ela ficou no segundo andar, muito agradecida e contente por ter conhecido um homem tão gentil.

O quarto era pequeno, com ares de cabine, mas com uma cama que dava para três, algo que parecia ser um diferencial da ilha. Abriu a janela para ventilar o ar estagnado e só então sentiu a falta que lhe faziam as flores de seus agostos livres e as garças-azuis da lagoa. A chuva continuava, mas ela confiava que haveria uma trégua para chegar ao cemitério antes das seis.

E conseguiu, apesar de ter perdido mais de uma hora procurando gladíolos — que encontrou numa banca em frente à igreja. O táxi que a levara ao cemitério não conseguira subir até o topo pelo mau estado da pista, e a única coisa que o chofer aceitou foi esperá-la numa esquina até ela voltar. De repente ela tomou consciência de que no dia vinte e cinco de novembro teria cinquenta anos, a idade que mais temia, não muito menos do que tinha a mãe quando morreu. Viu-se do mesmo modo que se tinha visto poucos anos antes, esperando que a chuva amainasse, e chorou como tinha chorado quando levou o primeiro ramo de flores ao túmulo. Mas seu pranto pareceu aplacar os maus humores do céu. De repente parou de chover, e ela pôs as flores no túmulo.

Regressou ao hotel, com barro nos sapatos e de mau humor, e deu como certo que havia perdido outro ano, pois não achava possível conseguir um amor para aquela noite nem parando automóveis numa orla transformada pela chuva num lodaçal horrendo. Nada havia mudado. O cano da ducha sem bocal de chuveiro jorrava uma água minguada e, enquanto se ensaboava debaixo do jorro esquálido, viu-se sozinha e sem um homem caridoso, e tornou a chorar. Mas não se rendeu: sairia do jeito que fosse para ver o que aquela noite de lobos tinha preparado para ela. Pendurou a roupa e pôs o livro em cima da mesa. Era o *Diário do ano da peste*, de Daniel Defoe, e deitou-se para ler enquanto esperava a hora de ir para o bar. Mas tudo parecia organizado de propósito para não a fazer feliz. O jorrinho esquálido do banho a tinha feito se sentir mais miserável ainda, e uma rajada de ódio contra o marido a estremeceu, tão violenta e fria que ela se assustou. Havia se resignado ao destino sinistro de dormir sozinha naquela noite de cão quando o telefone tocou.

— Alô — disse a voz alegre que ela reconheceu de imediato. — Sou o amigo do quarto andar. — E acrescentou em outro tom: — Fiquei esperando, ainda que fosse uma resposta de caridade. — E depois de uma longa pausa perguntou: — Não recebeu as flores?

Ela não entendeu. Ia perguntar quando seus olhos tropeçaram em um ramo de esplêndidos gladíolos que tinham sido postos de qualquer jeito numa cadeira ao lado do toucador. O homem explicou a ela que os tinha encontrado por acaso no hotel onde estava reunido com seus clientes e que achou natural mandá-los para que ela levasse ao túmulo da mãe. Ela não percebeu que as flores tinham sido entregues quando estava no cemitério, mas não seria nada estranho que já estivessem ali antes. De repente, ele perguntou de maneira casual:

— Onde você vai jantar?

— Não pensei nisso — respondeu ela.

— Não importa — disse ele —, espero você lá embaixo para pensarmos.

Outra noite frustrada, pensou ela, com outro Aquiles? Não.

— Que pena — disse —, tenho um compromisso esta tarde.

— Sim, pena — disse ele, sentido de verdade.

— Fica para a próxima — falou ela.

Foi se arrumar na frente do espelho. Tinha pensado no lugar onde esteve na noite miserável com Aquiles Coronado, mas a chuva apertava e dava para ouvir os uivos do vento na lagoa. Mas de repente gritou para si própria: "Santo Deus, como sou burra!"

Correu para o telefone e ligou para o homem do quarto andar com uma pressa que mais tarde a deixaria envergonhada.

— Que sorte! — disse a ele sem preâmbulos. — Acabam de cancelar meu compromisso por causa da chuva.

— A sorte é minha, senhora — disse ele.

Ela não duvidou um instante. E não se enganou: foi uma noite inesquecível.

Muito menos esquecível do que Ana Magdalena Bach teria conseguido imaginar. Havia levado mais tempo do que o necessário para se arrumar, e o homem estava esperando por ela bem-vestido na saída do elevador, com uma camisa *guayabera* de seda, calças de linho e mocassins brancos. Ela confirmou sua primeira impressão de que ele era atraente e com o mérito maior de se comportar como se não soubesse disso. Ele a conduziu para um restaurante fora dos ninhos do turismo, debaixo de grandes amendoeiras iluminadas e com uma orquestra melhor para sonhar do que para dançar. Entrou com grande desenvoltura e foi tão bem recebido quanto um cliente antigo, e ele se comportava como se fosse. Seus modos tinham se refinado com o esplendor da noite. Ele inteiro irradiava um aroma único pela água de colônia recém-aplicada e sua conversa era fluida e agradável, mas ela se sentia um pouco perdida, pois parecia falar não tanto para dizer, e sim para ocultar.

Ficou surpresa que ele não fosse habilidoso com as bebidas e que tivesse esperado que ela escolhesse seu gim de costume antes de pedir para si um uísque de qualquer marca, que não provou a noite inteira. Não fumava, mas tinha um maço de cigarros egípcios de papel dourado só para oferecer. Não era treinado na arte de comer e deixou que o garçom decidisse por eles. Porém, o mais surpreendente foi que com todos os seus limites e desacertos não perdia nem um pingo de seu encanto, nem mesmo quando soltou duas ou três piadas tão simples e mal contadas que ela não conseguiu entender e teve que rir por cortesia.

Quando a orquestra tocou um arranjo dançante de Aaron Copland, ele confessou que não chamava sua atenção porque era surdo para música, mas se atreveu a dançar quando ela o convidou. Não acertou um passo, mas ela o ajudou tão bem que ele pôde ter ficado com a impressão de que o mérito era seu. Na sobremesa estava tão entediada que se xingou por sua fraqueza e mais ainda quando viu passar um homem que ela teria escolhido de olhos fechados, enquanto seu anfitrião era tão decente que não dava um passo em falso, a não ser na hora de dançar. Ela se sentia bem e bem tratada, mas numa noite sem futuro.

Assim que terminaram a sobremesa, ele a levou de volta ao hotel dirigindo em silêncio e com os olhos absortos no mar adormecido debaixo de uma lua quimérica. Ela não o interrompeu. Eram onze e dez, e até o bar do hotel deles já devia estar fechado. O que mais a indignava era não ter nada a reprovar em seu anfitrião, pois sua única falha era não ter sequer tentado seduzi-la: nem um cumprimento aos seus radiantes olhos de leoa, nem à sua lábia fluida, nem ao seu conhecimento de música.

Estacionou no pátio do hotel e a acompanhou no elevador num silêncio absoluto até a porta do quarto. Ela deixou cair a chave e ele a pegou, abriu a porta com a ponta dos dedos, entrou sem convite nem licença, como se fosse sua casa, e desmoronou na cama de barriga para cima com um suspiro da alma:

— Esta é a noite da minha vida!

Ana Magdalena permaneceu petrificada, sem saber o que fazer, até que ele lhe estendeu a mão em silêncio. Ela lhe deu a sua e se deitou a seu lado, atordoada pela batida do seu coração. Então ele deu um beijo inocente nela que a estremeceu até a alma, e continuou beijando-a enquanto tirava sua roupa peça por peça com uma maestria mágica nos dedos, até que sucumbiram num abismo feliz.

Quando Ana Magdalena despertou na penumbra do amanhecer, tinha perdido a noção de si mesma. Não sabia onde estava nem com quem, até que viu ao seu lado o homem nu de corpo inteiro, dormindo de barriga para cima com os braços em cruz sobre o peito e respirando feito um bebê no berço. Acariciou com seu indicador tênue a pele curtida pela intempérie. Não tinha um corpo jovem, mas bem--conservado, e desfrutou das carícias sem abrir os olhos, com tanto domínio como o que havia tido durante a noite, até que o amor o desordenou.

— Agora sim, sério — perguntou de repente. — Qual é o seu nome?

Ela improvisou no mesmo instante.

— Perpétua.

— É uma pobre santa que morreu pisoteada por uma vaca — disse ele de imediato.

Ela, surpresa, perguntou como ele sabia disso.

— Sou bispo — respondeu ele.

A rajada da morte a estremeceu. Repassou instantaneamente o jantar, sua conversa preciosista, seus gostos convencionais, e não encontrou nada que permitisse qualquer dúvida sobre a verdade daquela resposta. E mais: era a confirmação rigorosa do que ela tinha pensado dele durante o jantar. Ele se deu conta de seu estupor, abriu os olhos e perguntou intrigado:

— O que você tem contra nós?

— Nós quem?

— Os bispos.

Ele soltou uma gargalhada radiante pela própria brincadeira, mas foi rápido em compreender que era um desplante de mau gosto e cobriu o corpo dela com longos beijos de arrependimento. Talvez como penitência, contou a ela uma versão da sua vida atual. Havia trabalhado em coisas diferentes e não tinha um domicílio estável, porque seu ofício de base era vender seguros marítimos de uma empresa com sede em Curaçao, e tinha que visitar a ilha várias vezes por ano. A princípio, seu poder de persuasão foi tão forte que ela se sentiu vencida, mas prevaleceu a certeza de que era tarde demais para ser feliz três vezes numa mesma noite.

— Vou perder a barca — disse.

— Não importa — rebateu ele. — Vamos juntos amanhã.

Propôs a ela um grande dia e muitos outros no futuro, pois precisava voltar à ilha pelo menos duas vezes por ano, e uma delas poderia ser sempre em agosto. Ela escutava ansiosa, na esperança de que pudesse ser verdade, mas teve a força para não parecer uma mulher tão fácil quanto ele poderia pensar. De repente percebeu que estava mesmo a ponto de perder a barca então saltou da cama e se despediu com um beijo apressado. Mas ele a segurou pelo pulso.

— E então — insistiu —, até quando?

— Até nunca mais — disse ela. E concluiu de bom humor: — É a lei de Deus.

Correu para o banheiro na ponta dos pés e passou a chave sem escutar a lista de promessas com que ele a perseguiu enquanto acabava de se vestir. Mal teve tempo de abrir o chuveiro quando ele bateu na porta para arrematar a despedida.

— Vou deixar uma lembrança no livro — disse ele.

Ela se sentiu fulminada por um mau presságio. Não se atreveu a agradecer nem a perguntar o que ele deixaria por terror à resposta, mas, assim que o ouviu sair, correu nua e ensaboada para examinar o livro na mesinha de cabeceira. Que alívio! Era um cartão de visita com todos os dados para ser encontrado. Não rasgou, como sem dúvida teria feito com qualquer outro, mas deixou onde estava até que pudesse levá-lo para um lugar seguro.

6

Era uma quarta-feira típica do agosto caribenho, com um mar adormecido e uma brisa suave de gaivotas rasantes. Ana Magdalena Bach levou uma cadeira de praia até o tombadilho da barca e abriu o livro de Daniel Defoe na página marcada com o cartão, mas não conseguiu se concentrar. Tampouco encontrou alguma coisa que chamasse sua atenção nos dados reais do homem da noite anterior, com nome e nacionalidade holandeses e um endereço comercial com seis números de telefone de uma empresa de serviços técnicos com sede em Curaçao. Leu o cartão várias vezes, tentando imaginar na vida real o fantasma da sua noite feliz. No entanto, desde seu encontro com o primeiro homem, havia tido a precaução de não deixar nem um mínimo rastro que pudesse suscitar qualquer suspeita em sua casa, por isso rasgou o cartão em pedaços minúsculos e os soltou na brisa cúmplice das gaivotas.

Foi um retorno revelador. Assim que entrou em casa, às cinco da tarde, descobriu até que ponto começava a sentir-se estranha entre os seus. A filha tinha assimilado a vida do convento sem modificar seu jeito natural de ser, e pouco a pouco se fazia menos assídua na mesa da família. O filho quase não tinha tempo livre entre seus namoros efêmeros e seus compromissos artísticos em meio mundo. O marido, graças ao fato de ser um fanático de seu ofício e ao mesmo tempo um conquistador empedernido, acabou sendo um hóspede casual em sua cama. Para ela, por sua vez, o paradoxo mais estranho era comprovar como ia perdendo o encanto pela ilha na falta de um homem certo entre os muito casuais que havia provado em suas noites escassas. Sua maior ansiedade, no entanto, não era pelas dúvidas da fidelidade do marido, mas pelo pavor de que ele tivesse um vislumbre do que ela fazia na ilha em suas noites contadas. Por isso fazia muito poucos comentários de suas viagens anuais, para que ele não tivesse a ideia de acompanhá-la, ou para não suscitar quaisquer dúvidas masculinas, que são as menos fáceis, porém as mais certeiras.

Eram anos simples em que não havia tempo nem ocasião para traições ou suspeitas, e ela levava com rigor as contas de seus ciclos para os amores que faziam de rotina. Não saíam da cidade sem que ela levasse na bolsa os preservativos para as ocasiões imprevisíveis. Daquela vez, porém, sentiu uma pontada no coração quando ele chegou com mostras de amor tão desaforadas que alvoroçou nela de repente não apenas as suspeitas possíveis daquele ano, mas todas as atrasadas. Ela o vigiava, examinava até a costura dos bolsos e pela primeira vez começou a cheirar a roupa usada que ele deixava na cama. A partir de maio, no entanto, um sonho com o homem do ano anterior a sacudiu até a alma e a ansiedade se tornou insuportável. Amaldiçoou uma vez mais a hora em que tinha rasgado o cartão de visita e não se sentiu capaz de ser feliz sem ele, mesmo que fosse apenas na ilha. Era tão evidente seu desassossego que o marido disse, sem preâmbulos:

— Está acontecendo alguma coisa com você.

O terror agravou a sua insônia até o amanhecer, pois ela mesma não parecia consciente do quanto havia começado a mudar desde suas primeiras viagens. Nunca tinha pensado no risco de se encontrar por acaso com algum de seus cúmplices na ilha, até a maldita noite em que seu compadre Aquiles Coronado abusou dos goles num jantar de casamento e soltou algumas indiretas sem graça que qualquer um na mesa teria sido capaz de entender sem muito esforço. Por sua vez, num meio-dia em que almoçava com três amigas no restaurante de maior prestígio da cidade, pensou que conhecia um dos homens que conversavam sem pausa e em voz muito baixa numa mesa afastada. Tinham uma garrafa de brandy e suas taças pela metade e pareciam sozinhos numa vida diferente. Mas o que ela via de frente tinha um terno de linho branco, impecável e bem alinhado, o cabelo grisalho e o bigode romântico terminado em pontas. Desde que bateu o olho nele pela primeira vez teve a impressão de que o conhecia. Mas apesar do seu esforço não conseguiu recordar quem era nem onde o havia visto antes. Mais de uma vez perdeu o fio da animada conversa das amigas, até que uma delas não conseguiu resistir à curiosidade e lhe perguntou o que a inquietava na mesa vizinha.

— O do bigode turco — sussurrou ela. — Não sei a razão, mas me lembra alguém.

Todas olharam com cautela.

— Até que não é de todo ruim — disse uma delas sem interesse, e retomaram a conversa.

Mas Ana Magdalena continuou tão inquieta que não foi fácil pegar no sono àquela noite e acordou às três da madrugada com o coração ouriçado. O marido acordou, mas ela havia recobrado a respiração e contou para ele um falso pesadelo como tantos outros reais e assustadores que a acordavam nos tempos de recém-casada. Pela primeira vez ela se perguntou por que não se atrevia a fazer na cidade a mesma coisa que fazia na ilha, já que ali dispunha do ano inteiro com oportunidades diárias de manejo mais fácil. Pelo menos cinco amigas dela haviam tido amores furtivos até onde o corpo permitiu e tinham ao mesmo tempo mantido casamentos estáveis. No entanto, ela não imaginava na cidade situação tão excitante e propícia como na ilha, o que só era possível de entender como uma argúcia póstuma de sua mãe.

Durante várias semanas não conseguiu resistir à tentação de encontrar o homem que não a deixava viver em paz. Voltava ao restaurante nas horas mais concorridas, não perdia a oportunidade de arrastar com ela algumas amigas aleatórias para evitar qualquer equívoco em suas andanças solitárias, se acostumou a encarar quantos homens atravessassem seu caminho, com a ânsia ou o pavor de encontrar o dela. No entanto, não precisou de ajuda alguma para que a identidade de quem buscava estalasse na sua memória como uma explosão cegante. Era o mesmo da sua primeira noite na ilha, que havia deixado entre as páginas do livro a ignomínia da nota de vinte dólares pela sua noite de amor. Só então se deu conta de que talvez não tivesse conseguido reconhecê-lo por causa do bigode de mosqueteiro que ele não usava na ilha. Tornou-se assídua no restaurante onde havia tornado a vê-lo, com uma nota de vinte dólares para atirar na sua cara, mas cada vez tinha menos clareza sobre qual deveria ser a sua atitude, pois, conforme se aprofundava em sua raiva, menos importava a má lembrança do homem e das desgraças da ilha.

No entanto, ao chegar agosto sentiu-se com forças de sobra para continuar sendo ela mesma. A travessia na barca pareceu eterna como sempre, a mesma ilha com a qual tanto havia sonhado pareceu mais ruidosa e pobre, e o táxi que a levava ao mesmo hotel do ano anterior esteve a ponto de despencar de um desfiladeiro. Encontrou vago o quarto onde havia sido feliz, e o mesmo recepcionista recordou de imediato o hóspede que a acompanhava, mas não conseguiu encontrar nenhum rastro dele nos arquivos. Revisitou ansiosa outros lugares onde estiveram juntos e encontrou tudo que é tipo de homens solitários e sem rumo que teriam bastado para aliviar sua noite, mas nenhum pareceu suficiente para suplantar quem ela ansiava. Assim, registrou-se no mesmo quarto de hotel do ano anterior e de imediato foi ao cemitério com medo de que a chuva se adiantasse.

Com uma ansiedade quase insuportável repetiu cada passo para cumprir logo e sem dor a rotina do ano até o encontro com sua mãe. A mesma florista de sempre, mais velha a cada ano, a confundiu com outra à primeira vista e armou para ela o ramo de gladíolos esplêndidos de sempre, mas com uma enorme falta de vontade e quase pelo dobro do preço.

Diante do túmulo de sua mãe, ficou abalada porque encontrou um monte inusitado de flores apodrecidas pelas chuvas. Incapaz de imaginar quem as teria posto ali, perguntou ao zelador sem a menor malícia, e ele respondeu com a mesma inocência:

— O senhor de sempre.

Seu desconcerto foi maior quando o zelador explicou que não tinha a mínima ideia de quem podia ser o visitante desconhecido que chegava em qualquer dia do ano e deixava o túmulo completamente coberto por aquelas flores esplêndidas e nunca vistas num cemitério de pobres. Tantas e tão caras que lhe doía tirá-las do túmulo enquanto restasse nelas um rastro mínimo de seu esplendor natural. Descreveu o visitante como um homem de uns sessenta anos bem vividos, com cabelos brancos e bigode de senador e uma bengala que se transformava em guarda-chuva para poder continuar absorto diante do túmulo enquanto chovia. Nunca lhe perguntou nada, nem havia contado a ninguém da riqueza de suas flores e do tamanho das gorjetas, nem tinha comentado com ela em suas visitas anteriores porque tinha certeza de que o cavalheiro do guarda-chuva mágico era alguém da família.

Ela engoliu a inquietação e deu uma boa gorjeta ao zelador, abrumada por uma revelação que talvez explicasse de uma só vez o segredo das viagens frequentes de sua mãe à ilha com a desculpa de um negócio próprio que ninguém sabia dizer qual era e que talvez nem tenha existido.

Quando saiu do cemitério, Ana Magdalena Bach era uma mulher diferente. Estava trêmula e o chofer precisou ajudá-la a entrar no carro porque não conseguia dominar o tremor do seu corpo. Só então vislumbrou o mistério das três ou até quatro visitas que sua mãe fazia à ilha todo ano e sua determinação de que a enterrassem ali quando percebeu que estava morrendo de uma doença grave em terra alheia. Só então a filha vislumbrou a razão das viagens que a mãe havia feito nos seis anos anteriores à sua morte com a mesma paixão com que ela fazia as suas. Considerava que aquela razão da mãe poderia ser sua mesma razão, e a analogia a surpreendeu. Não se sentiu triste, mas animada pela revelação de que o milagre de sua vida era ter continuado a de sua mãe morta.

Abrumada pelas emoções daquela tarde, Ana Magdalena viajou sem rumo nem sentido por periferias pobres e se encontrou, sem saber como, na tenda de um mago ambulante que podia adivinhar com seu saxofone uma melodia popular conhecida que alguém do público estivesse recordando em silêncio. Ana Magdalena não teria nunca se atrevido a intervir, mas naquela noite perguntou brincando onde estava o homem da sua vida, e o mago respondeu com uma imprecisão certeira:

— Nem tão perto quanto você gostaria nem tão longe quanto você crê.

Voltou a seu hotel ainda sem se arrumar e com o ânimo no chão. O terraço ao ar livre estava ocupado por uma clientela jovem que dançava com vontade ao som de uma orquestra juvenil, e ela não pôde resistir à tentação de compartilhar o júbilo de uma geração feliz. Não havia uma mesa livre, mas o garçom a reconheceu de outros anos e conseguiu uma para ela a toda a pressa.

Depois da primeira rodada de baile, outra orquestra mais ambiciosa iniciou o *Clair de lune*, de Debussy, num arranjo para bolero, e uma esplêndida mulata cantou com amor. Comovida, Ana Magdalena pediu seu gim com gelo e soda, o único álcool que continuava se permitindo aos seus cinquenta anos.

A única coisa que achou contrária ao espírito da noite foi o casal da mesa contígua: ele, jovem e atraente, e ela talvez mais velha, mas deslumbrante e altiva. Era evidente que estavam numa discussão surda, trocando entre si queixas ferozes que fracassavam no estrondo da festa. Nos vazios da música faziam uma pausa intensa para não serem ouvidos pelas mesas vizinhas, mas retomavam o enfrentamento com ímpetos maiores na música seguinte. Um episódio tão corriqueiro naquele mundo de ninguém que Ana Magdalena não se interessou nem como episódio de circo. Mas seu coração capotou quando a mulher quebrou a taça na mesa com uma solenidade teatral e atravessou a pista de dança em linha reta até a porta sem olhar para ninguém, altiva e formosa, no meio da multidão de casais felizes que se afastavam à sua passagem. Ana Magdalena compreendeu que a briga tinha terminado, mas teve a discrição de não olhar para o homem, que permaneceu impávido em seu lugar.

Quando a orquestra oficial terminou sua rodada juvenil, outra mais ambiciosa iniciou a nostálgica *Siboney*, e Ana Magdalena se deixou arrastar pela magia da música misturada com o gim. De repente, numa pausa da orquestra tropeçou por acaso com o olhar do homem abandonado na mesa vizinha. Não o evitou. Ele correspondeu com uma leve inclinação de cabeça, e ela sentiu que estava vivendo um novo episódio remoto de sua adolescência. Com um estremecimento raro se atordoou — como se fosse a primeira vez —, e o resto do gim infundiu nela um ânimo inadequado para seguir adiante. Ele se antecipou.

— Esse homem é um canalha — disse a ela.

Ela se surpreendeu:

— Que homem?!

— Esse que deixou você esperando — disse ele.

O coração dela se torceu ao pensar que ele falava com ela como se a estivesse vendo por dentro, mas foi em frente com um ar de deboche.

— Pelo que acabo de ver, você é que foi chutado.

Ele percebeu que ela se referia ao incidente com a mulher que tinha acabado de deixá-lo sozinho.

— Sempre terminamos assim, mas a birra não dura muito — disse. E continuou até o arremate final: — Você, por sua vez, não tem razão para estar sozinha.

Ela o envolveu com um olhar amargo.

— Na minha idade — disse a ele —, todas as mulheres estão sozinhas.

— Nesse caso — disse ele com ânimo renovado —, esta é a minha noite de sorte.

Levantou-se com a taça na mão e foi se sentar à mesa dela sem preâmbulos, e ela se sentia tão triste e solitária que não o impediu. Ele pediu para ela uma taça do seu gim favorito, e por um momento ela se esqueceu de suas penas e tornou a ser a mesma de outras noites de solidão. Amaldiçoou uma vez mais a hora em que rasgou o cartão de visita de seu último homem, e não se sentia capaz de ser feliz sem ele naquela noite, mesmo que fosse apenas por uma hora. Então dançou desanimada, mas o homem dançava muito bem e fez com que se sentisse melhor.

Quando voltaram para a mesa depois de uma rodada de valsas, ela percebeu que não estava com a chave do quarto e a procurou na bolsa e debaixo da mesa. Ele tirou a chave do bolso com uma imitação de prestidigitador e cantou como na roleta o número do quarto:

— O da sorte: trezentos e trinta e três!

Nas mesas vizinhas algumas pessoas se viraram para olhá-los. Ela não suportou a vulgaridade da piada e estendeu a mão para ele com uma expressão severa. Ele notou seu erro e lhe devolveu a chave. Ela a recebeu em silêncio e abandonou a mesa.

— Permita pelo menos que eu a acompanhe — suplicou ele, perseguindo-a, confuso. — Ninguém deve ficar sozinho numa noite como esta.

Pulou da cadeira talvez para se despedir, mas também poderia ser para acompanhá-la. Talvez ele mesmo não soubesse, mas ela acreditou ter adivinhado a intenção.

— Não se incomode — disse.

Ele pareceu arrasado.

— Não se preocupe — insistiu ela. — Meu filho teria feito a mesma coisa aos sete anos de idade.

Saiu decidida, mas não tinha chegado ao elevador quando perguntou a si mesma se não acabara de desprezar a felicidade na noite em que mais lhe fazia falta. Havia dormido com a luz acesa enquanto discutia consigo mesma se ficava para dormir ou se voltava para o bar decidida a encarar seu destino. Um pesadelo recorrente de seus piores momentos havia começado a perturbá-la quando despertou com toques furtivos na porta. As luzes ainda estavam acesas, e ela, de bruços na cama, com a roupa que havia deixado no corpo sem perceber. Permaneceu assim, mordendo o travesseiro empapado de lágrimas para não perguntar quem era, até que quem batia deixou de bater. Então ela se acomodou na cama, sem mudar de roupa nem apagar a luz, e voltou a dormir chorando de raiva de si mesma pela desgraça de ser mulher num mundo de homens.

Não havia dormido mais de quatro horas quando foi acordada pela recepção para que não perdesse a barca das oito. Ela saltou da cama como não tinha conseguido saltar a tempo em suas noites ruins na ilha, mas teve que esperar duas horas pelo zelador do cemitério para ser informada dos trâmites para exumar os restos de sua mãe. Só quando teve a certeza de haver terminado, já passado o meio-dia, telefonou para o esposo e mentiu que havia perdido a barca, mas que iria sem falta à tarde.

O zelador e o coveiro de aluguel desenterraram o ataúde e o abriram sem compaixão com o talento de um mágico. Ana Magdalena viu então a si mesma no caixão aberto como num espelho de corpo inteiro, com o sorriso gelado e os braços em cruz sobre o peito. Ela se viu idêntica e com a mesma idade daquele dia, com o véu e a grinalda com que havia se casado, a tiara de esmeraldas vermelhas e as alianças, como sua mãe tinha determinado em seu último suspiro. Não só a viu como tinha sido em vida, com a mesma tristeza inconsolável, mas também se sentiu vista pela mãe lá da morte, amada e chorada por ela, até que o corpo se desfez em seu próprio pó final e só restou a ossada carcomida de onde os coveiros tiraram-lhe a poeira com uma vassoura e guardaram-na sem misericórdia num saco de ossos.

Duas horas depois Ana Magdalena deu uma última olhada de compaixão no próprio passado e um adeus para sempre aos seus desconhecidos de uma só noite e às tantas e tantas horas de incertezas que restavam dela mesma dispersas pela ilha. O mar era um remanso de ouro debaixo do sol da tarde. Às seis, quando o marido a viu entrar em casa arrastando sem mistérios o saco de ossos, não conseguiu segurar a surpresa.

— É o que resta da minha mãe — disse ela, e se antecipou ao espanto dele.

— Não se assuste — disse. — Ela entende. E mais, acho que ela é a única que já tinha entendido quando decidiu que a enterrassem na ilha.

বেলাশেষ

Nota da edição original

No dia 18 de março de 1999, os leitores de Gabriel García Márquez receberam a feliz notícia de que o colombiano vencedor do Nobel trabalhava em um novo livro composto por cinco contos independentes com uma mesma protagonista: Ana Magdalena Bach. A autora da matéria exclusiva, a jornalista Rosa Mora, publicou três dias depois no jornal *El País* uma entrevista com o autor juntamente com o primeiro conto do livro, "Em agosto nos vemos". García Márquez o tinha lido alguns dias antes na Casa da América em Madri, onde participava, junto com o também vencedor do Nobel José Saramago, de um fórum sobre a força da criação ibero-americana. Em vez de fazer um discurso, ele surpreendeu o público lendo uma primeira versão do primeiro capítulo do romance que agora o leitor tem em mãos. Rosa Mora acrescentava: "'Em agosto nos vemos' fará parte de um livro que incluirá outras três histórias de cento e cinquenta páginas, que Gabo já tem praticamente escritas, e é provável que inclua uma quarta, porque, pelo que ele explica, ocorreu-lhe uma ideia que o atrai. O denominador comum do livro é que tratará de histórias de amor de gente mais velha."

Alguns anos depois a sorte fez com que meu destino se cruzasse com o de García Márquez, um dos meus escritores de cabeceira desde minha adolescência. A leitura apaixonada de sua obra, junto com a de Rulfo, Borges e Cortázar, tinha me levado a atravessar o Atlântico para fazer um doutorado sobre a literatura da América Latina, em Austin, na Universidade do Texas. Em agosto de 2001, já de volta a Barcelona como editor da Random House Mondadori, Carmen Balcells me chamou à sua agência literária, quase vazia naqueles dias de verão.

Eu deveria falar ao telefone com García Márquez, que precisava de um editor de plantão para suas memórias. Seu editor habitual, meu querido amigo Claudio López de Lamadrid, estava de férias. Assim começou meu trabalho lado a lado com o escritor colombiano na edição final de *Viver para contar*, revisando um manuscrito que ia me chegando a conta-gotas por e-mail ou fax e que eu devolvia com minhas anotações, que consistiam fundamentalmente na verificação de dados. Gabo me agradeceu especialmente pela notícia de que *A metamorfose*, de Kafka, cuja leitura mudou seu universo narrativo, na verdade não havia sido traduzida por Borges, embora a edição argentina que ele utilizou afirmasse isso nos créditos. Ainda que ele estivesse em Los Angeles recuperando-se de uma doença, o trabalho editorial a distância me permitiu ser testemunha da carpintaria do escritor, desde a reescrita do capítulo dedicado ao "Bogotazo" até a brilhante troca de uma letra no título, para evitar um conflito com outro autor. Embora um acaso tenha me permitido conhecer pessoalmente Gabo e Mercedes Barcha num restaurante de Barcelona, não retomamos nossa relação como autor e editor até o ano de 2008. Em maio de 2003, depois de uma longa temporada em Los Angeles, Gabriel García Márquez e Mercedes Barcha regressaram à sua casa no México, onde foram recebidos por uma nova secretária pessoal que tinham contratado pouco tempo antes, Mónica Alonso. Seu depoimento é crucial para reconstruir a cronologia da criação de *Em agosto nos vemos*. De acordo com Mónica Alonso, no dia 9 de junho de 2002, o escritor terminou de revisar a versão final impressa de suas memórias, tarefa para a qual contou com a ajuda do editor Antonio Bolívar. Depois de limpar sua mesa das versões antigas e notas do livro entregue, recebeu a notícia de que sua mãe tinha morrido naquele mesmo dia. Com essa enigmática coincidência fechava-se o ciclo iniciado no começo de suas memórias: "Minha mãe pediu que fosse com ela vender a casa." O escritor se encontrava sem nenhum projeto iminente quando, ao revisar as gavetas de seu escritório, Mónica encontrou uma pasta que abrigava dois manuscritos: um intitulado "Ela", e outro intitulado "Em agosto nos vemos". De agosto de 2002 até julho de 2003, García Márquez trabalhou intensamente em "Ela", título que mudaria para *Memória de minhas putas tristes* ao publicá-lo no ano de 2004. Esta seria sua última obra de ficção publicada em vida.

No entanto, a publicação, em maio de 2003, de outro fragmento de *Em agosto nos vemos* parecia uma declaração pública de que García Márquez também levava adiante seu último projeto narrativo. O terceiro capítulo de *Em agosto nos vemos* foi publicado como conto inédito, intitulado "A noite do eclipse", na revista *Cambio*, da Colômbia, em 19 de maio de 2003, e dias depois no *El País* espanhol. De acordo com Mónica Alonso, a partir de julho de 2003 o escritor retoma com intensidade o trabalho no manuscrito do romance. E foi assim, a partir de então e até o final de 2004, que ele acumulou até cinco versões sucessivas, numeradas, além de uns primeiros rascunhos prévios e de uma versão que tinha trazido de Los Angeles. Todas essas versões datadas se encontram entre os papéis do escritor, custodiados pelo Harry Ransom Center da Universidade do Texas, em Austin.

Depois de chegar à quinta versão, ele deixou de trabalhar no romance e mandou um exemplar para a sua agente, Carmen Balcells. "Às vezes, é preciso deixar os livros repousarem", confidenciou a Mónica. Uma efeméride importante esperava por ele, a celebração dos quarenta anos da publicação de *Cem anos de solidão*, com uma edição comemorativa da Real Academia Española, e os preparativos iriam manter Gabo ocupado. Sua participação na sessão de abertura do congresso, no dia 26 de março de 2007, em Cartagena, seria um de seus últimos atos públicos multitudinários.

Em março de 2008, já instalado no México como diretor editorial da Random House Mondadori, retomei a relação como editor, a pedido de Carmen Balcells, para trabalhar com García Márquez num livro que reuniria seus textos para serem lidos em público e que seria publicado dois anos mais tarde com o título *Eu não vim fazer um discurso*. As frequentes visitas ao escritório dele, pelo menos uma vez por mês, se traduziram numa longa conversa sobre os livros, autores e temas que ele tratava nos textos da edição.

No verão de 2010, Carmen Balcells me informou em Barcelona que García Márquez tinha um romance inédito, mas que não encontrava um final, e me pediu que o incentivasse a terminar o livro. Ela me adiantou que se tratava de uma mulher madura e casada que visita a ilha onde está enterrada sua mãe e lá encontra o amor da sua vida. No meu regresso ao México, a primeira coisa que fiz foi perguntar a Gabo pelo romance e contar a ele o que sua agente havia me pedido. Gabo me confessou, divertido, que não era o amor de sua vida o que a protagonista encontrava, mas sim um amante diferente a cada visita. E, para me provar que tinha, sim, um final, pediu a Mónica a última versão, sempre nas pastas alemãs Leuchtturm em que encadernava seus manuscritos, e leu para mim o último parágrafo, que fechava a história de maneira deslumbrante. Ele era muito ciumento com seu trabalho em andamento, mas uns meses mais tarde me permitiu ler três capítulos em voz alta ao seu lado. Recordo a impressão que me deixou, de maestria absoluta num tema original que não havia abordado antes em suas obras, e a esperança de que algum dia seus leitores pudessem compartilhar daquilo que eu havia lido.

Sua memória já não lhe permitia encaixar todas as peças e correções da última versão, mas a revisão do texto foi por um bom tempo a melhor maneira de ocupar seus dias no escritório fazendo o que ele mais gostava de fazer: propondo um adjetivo aqui ou um detalhe que podia mudar ali. A versão número 5, datada de 5 de julho de 2004 e em cuja primeira página escreveu "Grande OK final. Dados sobre ela CAP. 2. Atenção: provável cap. Final/ é o melhor?", era claramente a sua preferida e decidiu ali incluir com Mónica algumas sugestões anotadas em versões anteriores. Ao mesmo tempo, Mónica mantinha uma versão digital na qual ainda conviviam fragmentos de outras opções ou cenas que o autor tinha considerado anteriormente. Esses dois documentos são a base desta edição.

A relação entre um autor e um editor é um pacto de confiança baseado no respeito. O privilégio de trabalhar com Gabriel García Márquez é um exercício constante de humildade que, no meu caso, se assenta nas suas próprias palavras quando Carmen me passou o telefone naquela nossa primeira conversa: "Quero que você seja o mais crítico possível, pois uma vez que eu puser o ponto final já não volto a revisar nada." Minha tarefa nesta edição foi a de um restaurador diante da tela de um grande mestre. Partindo do documento digital mantido por Mónica Alonso e confrontando esse documento com a versão 5 — na qual nos últimos anos foi incorporando pequenas correções de outras versões —, que ele considerava a final, revisei cada anotação do autor, manuscrita ou ditada a Mónica, cada palavra ou frase mudada ou eliminada, cada opção anotada à margem, para decidir sua inclusão ou não nesta versão final. O trabalho de um editor não consiste em mudar um livro, mas torná-lo mais forte com o que já está na página, e foi essa a essência do meu trabalho de editor. Isso inclui, entre outras coisas, a confirmação e a correção de dados, desde nomes de músicos ou autores citados até a coerência na idade da protagonista tal como ele planejou em suas notas às margens.

Espero que os leitores de *Em agosto nos vemos* compartilhem do mesmo respeito e assombro que senti nas dezenas de vezes que li este texto, leituras nas quais sentia a presença de Gabo sobre meu ombro, como na foto que Mónica tirou de nós quando corrigíamos juntos as provas do seu livro de discursos.

Meu agradecimento a Rodrigo e a Gonzalo García Barcha pela confiança que depositaram em mim no dia de agosto em que me telefonaram para informar que haviam decidido que *Em agosto nos vemos* tinha de ser publicado e que eu seria o editor. Diante do esmagador peso da responsabilidade, seu ânimo e sua confiança foram, ao longo de todo esse processo, a maior recompensa do trabalho editorial de minha vida. A lembrança de Mercedes Barcha, que um dia decidiu abrir para mim a porta de sua casa, além do escritório, sempre esteve presente ao longo desses meses. A fidelidade e o compromisso de Mónica Alonso com o escritor foram essenciais para que o texto chegasse às nossas mãos, e agradeço a ela o tempo dedicado para reconstruir a história de sua escrita. Também estamos todos em dívida com a equipe do Harry Ransom Center, da Universidade do Texas, em Austin, onde estão custodiados os arquivos do escritor, pelo seu trabalho de reprodução digital dos manuscritos do romance, essencial para esta edição chegar a um bom termo: Stephen Enniss, Jim Kuhn, Vivie Behrens, Cassandra Chen, Elizabeth Garver e Alejandra Martínez. Ao grande editor e amigo Gary Fisketjon agradeço uma conversa que me ajudou a sair do bloqueio de editor. Sua experiência foi um guia, como continua sendo nosso saudoso editor-chefe, Sonny Mehta, a quem teria encantado publicar este livro. Um agradecimento muito especial a minha esposa, Elizabeth, e a nossos filhos, Nicholas e Valerie, por seu apoio em minhas longas temporadas no sótão, trancado com o romance. Finalmente, meu agradecimento mais profundo a Gabo, por sua humanidade, por sua simplicidade e pelo afeto que sempre ofereceu a quem se aproximasse dele pensando que era um deus, para demonstrar com seu sorriso que era um homem. Sua lembrança durante esses meses foi o maior incentivo para chegar até aqui.

Cristóbal Pera
Fevereiro de 2023

O original
Quatro páginas de fac-símiles

A seguir encontram-se quatro amostras fac-similares de páginas da pasta intitulada "Versão 5" de *Em agosto nos vemos*. Essas pastas foram organizadas e classificadas pela secretária de García Márquez, Mónica Alonso, que mantinha também um documento de Word do qual foram saindo as diferentes versões.

Em seus últimos anos, quando já não conseguia trabalhar na visão geral do romance, García Márquez fazia pequenas correções, sugestões e mudanças em outras versões que foram se consolidando até chegar a esta versão que ele destacou como "Grande OK final".

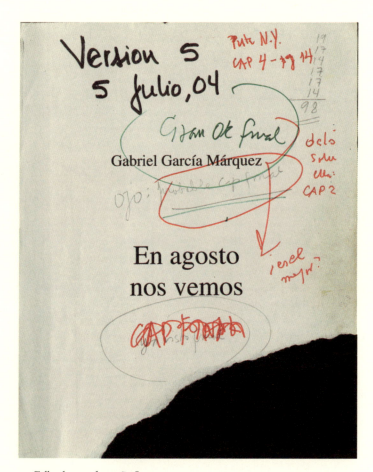

Folha de rosto da versão 5
Primeira página da pasta destacada como "Versão 5". Em seus últimos anos, García Márquez foi consolidando nesta versão anotações que havia feito em versões anteriores. Embora nesta primeira página leia-se "Grande OK final", a versão ainda contém fragmentos que foram corrigidos na versão digital em Word, guardada por sua secretária, Mónica Alonso.

V. Cap 1   3

vísperas de la tercera edad. Se estiró las mejillas hacia atrás
con los cantos de las manos para acordarse de cómo había
sido de joven. Pasó por alto las arrugas del cuello, que no
tenían remedio, y se revisó los dientes perfectos y recién
cepillados después del almuerzo en el transbordador. Se frotó
con el pomo del desodorante las axilas bien afeitadas y se
puso la camisa de algodón fresco con las inciales AMB
bordadas a mano en el bolsillo. Se cepilló el cabello indio,
largo hasta los hombros, y se amarró la cola de caballo con la
pañoleta de pájaros. Para terminar se suavizó los labios con el
lápiz labial de vaselina simple, se humedeció los índices en la
lengua para alisarse las cejas encontradas, se dio un toque de
Maderas de Oriente detrás de cada oreja, y se enfrentó por fin
al espejo con su rostro de madre otoñal. La piel sin un rastro
de cosméticos tenía el color y la textura de la melaza, y los
ojos de topacio eran hermosos con oscuros párpados
portugueses. Se trituró a fondo, se juzgó sin piedad, y se
encontró casi tan bien como se sentía. Sólo cuando se puso el
anillo y el reloj se dio cuenta de su retraso: faltaban seis para
las cuatro. Pero se concedió un minuto de nostalgia para
contemplar las garzas que planeaban inmóviles en el vapor
ardiente de la laguna. Los nubarrones negros del lado del

Página 3 da versão 5

Nesta página podem-se apreciar as marcas de correção feitas por
García Márquez no texto em leituras posteriores. A referência à
protagonista "às vésperas da terceira idade" aparece marcada com
um ponto de interrogação e desaparece na versão final, já que Ana
Magdalena Bach tem quarenta e seis anos. Outras pequenas variações
são provenientes da versão digital em Word.

V, Cap. 1

10

mayores de cuando el hotel era el único. Una niña mulata cantaba boleros de moda, y el mismo Agustín Romero, ya viejo y ciego, la acompañaba bien en el mismo piano de media cola de la fiesta inaugural.

Terminó de prisa, tratando de sobreponerse a la humillación de comer sola, pero se sintió bien con la música, que era suave y sedante, y la niña sabía cantar. Cuando terminó sólo quedaban tres parejas en mesas dispersas, y justo frente a ella, un hombre distinto que no había visto entrar. Vestía de lino blanco, con el cabello metálico y el bigote romántico terminado en puntas. Tenía en la mesa una botella de brandy y una copa a la mitad, y parecía estar solo en el mundo.

El piano inició el *Claro de Luna* de Debussy en un aventurado arreglo para bolero, y la niña mulata la cantó con amor. Conmovida, Ana Magdalena pidió una ginebra con hielo y soda, el único alcohol que se permitía y sobrellevaba bien. Había aprendido a disfrutarla con su esposo, un alegre bebedor social que la trataba con la cortesía y la complicidad de un amante escondido. El mundo cambió desde el primer sorbo. Se sintió bien, pícara, alegre, capaz de todo y embellecida por la mezcla sagrada de la música con la ginebra.

Página 10 da versão 5
Esta referência ao "bigode romântico terminado em pontas" do personagem no primeiro capítulo desaparece na edição final. No sexto capítulo, a protagonista encontra este mesmo homem na cidade, mas leva um tempo para identificá-lo porque o conhecera sem bigode: "Só então se deu conta de que talvez não tivesse conseguido reconhecê-lo por causa do bigode de mosqueteiro que ele não usava na ilha."

18

penumbras. Él roncaba entonces con un silbido tenue. Por simple travesura, ella empezó a toquetearlo con la punta de los dedos. Él dejó de roncar con un sobresalto abrupto y empezó a revivir. Ella lo abandonó por un instante y se quitó de un tirón la camisola de noche. Pero cuando volvió a él fueron inútiles sus artes, pues se dio cuenta de que se hacía el dormido para no complacerla por tercera vez. Así que volvió a ponerse la camisola, y se durmió a fondo de espaldas a él.

Su horario natural la despertó a las seis. Yació un instante divagando con los ojos cerrados, sin atreverse a admitir el latido de dolor de sus sienes, ni la náusea helada, ni el desasosiego por algo ignoto que la esperaba en la vida real. Por el ruido del ventilador se dio cuenta de que había vuelto la luz y la alcoba era ya visible en el alba verde de la laguna. De pronto, como el rayo de la muerte, la fulminó la conciencia brutal de que había fornicado y dormido por la primera vez en su vida con un hombre que no era el suyo. Se volvió a mirarlo asustada por encima del hombro, y no estaba. Tampoco estaba en el baño. Encendió las luces generales, y vio que no estaba la ropa de él, y en cambio la suya, que había tirado por el suelo, estaba doblada y puesta casi con amor en la silla. Hasta entonces no se había dado

Página 18 da versão 5

Nesta página, pode-se apreciar, como em muitas outras, correções feitas à mão pela secretária de García Márquez, Mónica Alonso, quando acrescenta um adjetivo como "ardente". Era comum em algumas sessões que ela lesse o texto para ele e García Márquez lhe pedisse que fizesse alguma mudança. Ao mesmo tempo, outras alterações iam passando à versão em Word, como a dúvida sobre o adjetivo "tênue", que acaba virando "contínuo".

GABRIEL GARCÍA MÁRQUEZ

GABRIEL GARCÍA MÁRQUEZ nasceu em 6 de março de 1927, em Aracataca, um pequeno povoado na costa atlântica colombiana. Honrado com o Prêmio Nobel de Literatura em 1982, publicou seu primeiro conto, "A terceira renúncia", aos vinte anos e, no ano seguinte, deu os primeiros passos no jornalismo. Durante mais de meio século exerceu esses dois ofícios, enfeitiçado pelo "encanto amargo da máquina de escrever". Seu talento na arte da narrativa fez com que ele fosse considerado um escritor fascinante por milhares de leitores. Considerado o maior expoente do realismo mágico, sempre afirmou que: "Não há nos meus romances uma única linha que não seja baseada na realidade." Ele foi, definitivamente, o criador de um dos universos mais ricos de significados em língua espanhola no século XX. Morreu na Cidade do México em 17 de abril de 2014.

Este livro foi composto na tipografia Bembo Std,
em corpo 12/18, e impresso em papel pólen bold
na Gráfica Santa Marta.